EMI
i Tajny Klub
Superdziewczyn

Agnieszka Mielech

EMI
i Tajny Klub
Superdziewczyn

Ilustracje
Magdalena Babińska

WILGA

Kto jest kim

Emi

Tata Emi

Mama Emi

Czekolada

Laura Zwiędły

Flora Zwiędły

Bianka

Aniela

Faustyna

Lucek

Alan

Michaś

Franek

Fiolka

*Basi, której pomysły, rysunki i przygody
były inspiracją do powstania serii o Emi.*

Mamie, za to, że dała nam skrzydła.

Wszystkim, którzy nas wspierają.

Z TAJNEGO DZIENNIKA EMI

To ja, Emi. Właściwie nazywam się Stanisława Emilia
Gacek. No właśnie – Stanisława. Dostałam takie imię,
bo prababcia i babcia były Stanisławy. Dzisiaj dziew-
czynek już się tak nie nazywa. Banalne! Ale JA zostałam z kłopotem. Tata twierdzi, że w skrócie mogłabym po prostu być Stan. I byłoby po kłopocie. Co
za pomysł! Stan od stanik. Potem zrymujemy Stan
do kasztan, orangutan albo kaftan. Po prostu bezna-
dziejnie.

Wymyśliliśmy więc, tata i ja, że na co dzień będę
Emi – to taki skrót od Emilia. To nam się udało! Tym
razem doszłam do porozumienia z rodzicami i mam
najprostsze pod słońcem trzyliterowe imię. Ale i w przy-
padku trzech liter w imieniu mogą zdarzyć się wpadki.
Kiedyś w parku usłyszałam, jak pewna pani nawołuje:

„Emiś, Emi…". Nie znałam tej pani, ale pomyślałam, że to może jakaś znajoma mamy. Potem pani wydała komendę: „Dziewczyny, za mną!". Pobiegły za nią… dwa psy i jedna dziewczynka. Ta dziewczynka to byłam ja… Mama obserwowała mnie z ławki i dostała ataku śmiechu. Nie lubię, kiedy ktoś się ze mnie naśmiewa! A już na pewno nie mama. Zdenerwowałam się okropnie i już nie chciałam nazywać się Emi. Tata przekonał mnie jednak, że takie przypadki mogą się zdarzać, bo ludzie lubią nazywać psy własnymi imionami.

Mieszkamy z mamą i tatą (tyle że tata jest ciągle w podróżach) w domu z czerwonej cegły, przy ulicy Na Bateryjce. Dom ma pięć pięter, a na każdym jest kilka mieszkań. Na drugim piętrze – Gackowo. Ja wolałabym mieszkać wyżej, powiedzmy, na czwartym, bo stamtąd widać cały plac zabaw. Ale mama twierdzi, że nie cierpi wysokości i że drugie piętro to szczyt jej wytrzymałości. No i zawsze chciała mieć wielki taras z zielenią, jaki mamy. Tata narzeka, że ten taras to jego kara za grzechy i że niedługo nabawi się garba. Co najmniej dwa razy w roku dźwiga ziemię i kwiaty z piwnicy na to nasze drugie piętro.

– Na drugi rok kupię sobie prawdziwy ogrodniczy wózek! – odpowiada wtedy rozgniewana mama.

Lubię mieszkać w domu Na Bateryjce. Z tarasu widzę nasze podwórko, huśtawki na placu zabaw i zawsze wiem, co się dzieje.

Mama ma na imię Justyna. Zajmuje się wieloma rzeczami i spotyka się z różnymi ludźmi. Najczęściej wtedy, kiedy powinna odebrać mnie z zerówki. Pisze też na komputerze, rzecz jasna wtedy, kiedy ja chciałabym w coś pograć. W ogóle jest bardzo zajęta. To się nazywa praca w biznesie. Do tego jest ciągle głodna. Myślę, że nie dają im jeść w tym biznesie.

Tata nazywa się Kuba. Wiecznie coś rysuje. Wszędzie mamy mnóstwo szkiców budynków – na serwetkach, starych gazetach, na kartkach i w zeszytach. Jest architektem. To poważny zawód, bo z jego rysunków powstają prawdziwe budynki. Ma swój własny pokój (tak jak ja!). Trzyma tam mapy, swoje rysunki, stół do kreślenia i bardzo, ale to bardzo dużo książek. Na szczęście, to książki z obrazkami, więc kiedy mam z rodzicami ciche dni i chowam się za kanapą w pokoju taty, nuda mi nie grozi! Oglądam wtedy zamki i domy i wyobrażam sobie, że jestem księżniczką, więc nikt nie może mi rozkazywać. Mama i tata też nie.

No i jest czasem Czekolada. To pies cioci Juli. Mieszka z nami, kiedy ona wyrusza w świat. A to zdarza się co kilka tygodni. Czekolada to brązowy labrador. Tak naprawdę ma odcień smacznej czekolady.

Mniam! Ma już swoje lata i choruje na nogi, więc wozimy go na spacery windą. Mama mówi, że ma reumatyzm, jak dziadek. I to już wszyscy z mieszkania numer 8 w domu Na Bateryjce 1.

POWSTAJE TAJNY KLUB SUPERDZIEWCZYN

To był całkiem zwykły dzień. Dzień jak co dzień w naszej zerówce przy szkole podstawowej na ulicy Zielonej. Od początku roku szkolnego nie jesteśmy już przedszkolakami! Przeprowadziliśmy się do szkoły i chociaż mamy osobne wejście, inne niż uczniowie, to już jesteśmy w szkole! I nasza grupa nie nazywa się Żuczki albo Karaluszki czy Okrągłe Brzuszki. My jesteśmy zerówką, a w godle mamy delfiny. Dumne i energiczne delfiny. Lubimy sport, słońce i przygody. Ale najbardziej kochamy zagadki i tajemnice. Może z wyjątkiem Alana. On kocha wygłupy i bójki.

Tego ranka Alan, zamiast szczypać Michasia albo zaglądać dziewczynom pod spódnice, zwołał nas na naradę:

– Hej, mięczaki! Wszyscy na start!

Zeszliśmy się więc w strefie zabawek. Pierwsza przybiegła Pola, która jak cień podąża za nim wszędzie. Dalej Lenka z fryzurą księżniczki. Przyszła też Bianka, chociaż to dziwne, bo zwykle wszystkiego się boi.

Filip i Iwo. Jak zawsze nierozłączni. Michaś trzymał się z dala, to jasne, Alan znowu mu nie odpuści.

Z wrzaskiem wbiegli Maks i Wiktor ze świetlnymi mieczami – w poniedziałki można było przynosić do zerówki własne zabawki. Niechętnie dołączyła Aniela, moja najlepsza koleżanka. Nie cierpi spódnic i nigdy nie chciała zostać księżniczką. No i ja.

– Słuchajcie! Zaczynamy gwiezdne wojny! – ogłosił Alan.

Lenka i Bianka zaraz zaczęły się przekrzykiwać:

– Dzisiaj to ja będę księżniczką! – zawołała Bianka.

– Właśnie że ja! Ja! – odpowiedziała jej Lenka, potrząsając warkoczami.

Zazdrościłam jej. Naprawdę wyglądała dzisiaj jak księżniczka Leia. Od rana dumnie pokazywała warkocze skręcone wokół głowy jak obwarzanki.

Alan spojrzał na nas, dziewczyny, z góry.

– Gwiezdne wojny są dla dzieciaków! – oświadczył.

Miny nam zrzedły. Jako to? Gwiezdne wojny były naszą ulubioną zabawą, odkąd znaleźliśmy się w zerówce! Alan zwykle był Luke'em Skywalkerem, a my, dziewczyny, na zmianę grałyśmy rolę księżniczki Lei.

Alan powiedział tajemniczo:

– Będziemy mieli swój tajny klub. – Rozejrzał się po sali, aby się upewnić, czy pani jest odpowiednio daleko. – Mówię wam, tajny klub to supersprawa – dodał, ściszając głos.

Pani siedziała zamyślona przy oknie. Wycinała litery alfabetu z czerwonej tektury. Dzisiaj mieliśmy poznać literę P.

– Po co nam jakiś klub? – zapytał Filip. – Ja wolę gwiezdne wojny. Są super!

– Ja też, ja też! – chłopaki zakrzyczeli Alana i, gotowi do walki, skrzyżowali świetlne miecze.

– Dobra – zgodził się Alan. – Ale dzisiaj bawimy się bez dziewczyn!

– To niesprawiedliwe! – zawołałam i tupnęłam nogą.

– Jak nie, to nie! – Nadąsana Lenka odwróciła się na pięcie i usiadła przy stole.

Wkrótce potem zgromadziłyśmy się tam wszystkie i zabrałyśmy się za dziewczyńskie zajęcia. Rysowałyśmy i wycinałyśmy, ale każda z nas łypała z zazdrością na chłopaków i patrzyła, jak walczą.

– Nuda. – Aniela ziewnęła.

Nagle coś mi zaświtało w głowie: „Tajny klub? Alan miał świetny pomysł!".

– Posłuchajcie – wyszeptałam. – Mam supermyśl! – Dziewczyny skupiły się ciasno nade mną. – My też założymy klub. Klub tylko dla dziewczyn – rzekłam uroczyście.

– Czy w tym klubie będziemy bawić się w gwiezdne wojny? – zapytała Lenka cienkim głosem.

– Wiesz, Emi, to fajny pomysł, ale kto będzie szefem? – zastanowiła się Bianka i dodała: – Szefem zawsze jest chłopak. Mój tata jest szefem i mówi, że kobieta-szef to katastrofa.

– Moja mama też jest szefem! – oświadczyłam. – I daje sobie radę!

Ale chyba żadna z nich już mnie nie słyszała, bo przekrzykiwały się wzajemnie.

– Może Alan zgodzi się zostać szefem naszego klubu? – piszczała Pola.

– Albo jakiś inny chłopak! – wtórowała jej Bianka.

– Chłopak nie będzie nami rządził – twardo odpowiedziała Aniela. – To klub dla dziewczyn!

– Tajny Klub Superdziewczyn – dodałam szybko.

I wtedy Bianka oświadczyła:

– Ja chcę być szefem. Tata nauczy mnie rządzić.

Umilkłyśmy wszystkie i popatrzyłyśmy na nią. Pierwsza odezwała się Aniela:

– Ty?! – Przewróciła oczami. – Szefem Tajnego Klubu? A kto boi się much, robali i kotów? I skarży pani? Chyba rozumiesz, że szef powinien być… hm… nieco bardziej odpowiedzialny.

Aniela spojrzała na nas wyczekująco, a kiedy żadna z nas nie zabrała głosu, zwróciła się do mnie:

– Ty, Emi! Ty będziesz najlepszym szefem. W końcu to twój pomysł. Głosujemy!

– Nieprawda. To Alan wymyślił tajny klub! – zaperzyła się Pola, ale ucichła, bo Aniela posłała jej swoje najgroźniejsze spojrzenie.

No i rozpoczęło się głosowanie. Trochę się bałam, że przepadnę. Ale po chwili każda podniosła rękę na znak, że jest za mną. Bianka też. I tak pierwszy raz w życiu zostałam wybrana na szefową. Szefową Tajnego Klubu Superdziewczyn. Jednogłośnie!

– Będziesz superszefem! – Aniela klepnęła mnie w plecy.

– Klub Superdziewczyn! To jest świetny pomysł! – Byłam już tego pewna. Ogłosiłam uroczyście: – Nigdy więcej nudy! Nigdy więcej siedzenia w kącie! Nigdy więcej czekania na rolę wymyśloną przez Alana! Jesteśmy superdziewczynami!

– A co właściwie będziemy robić w klubie? – zapiszczała Lena.

– Będziemy miały swoje tajemnice. I tajną bazę – odpowiedziała szybko Aniela.

– Znajdziemy sobie misję – dodałam. – Założymy Tajne Dzienniki.

– No i będziemy jak prawdziwe damy. Niedostępne!

– Niedostępne? – Zdziwiona Bianka odwróciła się na pięcie. – Zapytam panią.

Zatrzymałam ją.

– W Tajnym Klubie Superdziewczyn nie zdradzamy sekretów obcym.

Bianka wykrzywiła się, jakby miała się rozbeczeć.

– Beks też nie przyjmujemy – zauważyła Aniela. – Mów dalej, Emi – zwróciła się do mnie.

– Moja mama uważa, że kobieta powinna być tajemnicza i niedostępna – wyjaśniałam dziewczynom.

– Na przykład, jeśli chłopak zechce wziąć was za rękę, to wcale nie musicie się na to godzić – tłumaczyłam.

– Nawet jeśli to Alan? – zdziwiła się Pola.

Aniela przewróciła oczami.

– Polka! – wrzasnęła. – Myśl, główko! Alan jest nieznośny!

– Ale ja go bardzo lubię – zapiszczała Pola.

Nie przerywałam swojego wykładu:

– Chłopaki powinni przepuszczać nas w drzwiach.

Dziewczyny patrzyły na mnie z podziwem.

– Jesteś ekspertem! – odezwała się nagle Bianka. – Ale czy damy sobie radę?

Nie miałam co do tego wątpliwości. Czułam, że będziemy prawdziwym Tajnym Klubem Superdziewczyn.

I nagle przypomniałam sobie moją sprzeczkę z mamą na temat księżniczki i żaby i chociaż wtedy się z nią nie zgadzałam, to teraz zawołałam:

– Nawet z żaby może wyrosnąć księżniczka! Tak będzie z nami!

Chciałam powiedzieć jeszcze więcej o planach klubu, ale wtedy pani klasnęła w dłonie i oznajmiła:

– Dzieciaki! Wszyscy do koła. Zaczynamy zajęcia!

– Kiedy dostaniemy odznaki? – zaczepiła mnie Aniela, gdy przepychałyśmy się do przodu.

„No tak. Odznaki muszą być" – pomyślałam, a głośno powiedziałam: – Praca domowa. Na jutro każda z nas zrobi projekt odznaki. A teraz musimy się rozdzielić. Już nie możemy siedzieć razem, wszyscy się domyślą, że coś knujemy.

Usiadłyśmy w różnych miejscach koła, aby odsunąć od siebie podejrzenia. Tylko pani patrzyła na nas uważnie i uśmiechała się zagadkowo.

Po południu, kiedy wszystkie dzieciaki poszły już do domu, a mama jak zwykle się spóźniała, narysowałam projekt odznaki klubu i ukryłam go głęboko w kieszeni.

– Wiesz, mamo – zagadnęłam ją, gdy już wreszcie byłyśmy w drodze do domu. – Jak spełnisz pewne warunki, to może przyjmiemy cię do Tajnego Klubu Superdziewczyn.

– Tak, Emiś, tak… Tajny Klub… – zamruczała mama, podśpiewując w rytm jakiejś piosenki „czili", którą nadawało radio. A ja właśnie wyjawiłam jej wielką tajemnicę! Tajemnicę powstania Tajnego Klubu Superdziewczyn!

„Człowiek nie może liczyć na zainteresowanie. Nawet własnej mamy! – Skrzywiłam się w myślach. – Jeszcze usłyszy o Tajnym Klubie Superdziewczyn!".

PAN EKOLOG
PRZEDSTAWIA KOLUMBA

Pan ekolog odwiedza naszą zerówkę co dwa tygodnie. Zawsze nosi te same wysokie kalosze i kamizelę z mnóstwem kieszeni. W kieszeniach ma same skarby. Sznurki, scyzoryki, spinacze, a nawet lupę! No i uśmiecha się bardzo miło do naszej pani.

Kiedy pan ekolog nagada się już z panią, rozpoczyna zajęcia, na których poznajemy rośliny i zwierzęta. Alan uważa, że to okropne nudy. Nie zgadzam się z nim. Uwielbiam zwierzęta. Kozy, koty, psy. Pan Kacper, bo tak nazywa się pan ekolog, mieszka na farmie za miastem i ma mnóstwo zwierząt. Trzy koty i cztery psy, które znalazł w okolicy i przygarnął. Poza tym są tam jeszcze kozy, kury, kaczki i nawet jedna świnia.

Chciałabym mieć kota albo psa, albo chociaż szczurka. Bawiłabym się z nimi przez cały czas. Mama jest innego zdania. Uważa, że i tak często przychodzi do nas Czekolada i zostawia w mieszkaniu kilogramy kłaków. Dlatego w naszym domu nie ma zwierząt.

Dzisiaj zajęcia ekologiczne rozpoczęły się przed podwieczorkiem. Dobrze, że już zdążyliśmy zjeść obiad (mniam, były pulpety, moje ulubione, do tego makaron w sosie pomidorowym!). Dobrze też, że wybrałyśmy już odznakę dla Tajnego Klubu Superdziewczyn. Każda z nas pokazała swój projekt. Wygrała odznaka Bianki – na białej tarczy wielka, zielona litera S, a po bokach superbuty na obcasach. Bardzo dziewczyńska! Tak naprawdę wcale mnie to nie ucieszyło. Byłam zła, że dziewczyny wybrały odznakę Bianki. Po pierwsze, dlatego, że ona wszystko wypapla rodzicom i pani… a wtedy nasz klub przestanie być tajny. A po drugie, moja odznaka była tak samo fajna. A nawet fajniejsza. Wybór dziewczyn nie był do końca sprawiedliwy. Ale nie miałam wyjścia – musiałam przyjąć, że od dziś to odznaka Bianki, nie moja, będzie jedynym i oficjalnym symbolem Tajnego Klubu Superdziewczyn. Odrysowałyśmy w tajemnicy odznaki, żeby każda z nas miała taką samą. A potem wkroczył pan ekolog.

Dzisiaj przywiózł dwie klatki. W pierwszej klatce był gołąb. Taki zwykły, szary.

– I co jest ciekawego w takim gołębiu? – prychnął Alan.

Gołąb nazywał się Kolumb. Tak jak ten podróżnik, który żył bardzo dawno temu i odkrył Amerykę. Kolumb miał czerwone oczy, szare pióra w fioletowe plamy i biały kuper.

– Jak myślicie, dzieciaki – zapytał pan ekolog – ile gołębi może żyć latem w okolicach waszej szkoły?

– My nie chodzimy jeszcze do szkoły! – pisnęła Pola.

– Cicho! Jesteśmy przecież szkolną zerówką! – zaprotestował Alan i z zapałem zaczął opowiadać: – Ja widziałem najwięcej gołębi! Kiedy pojechałem z rodzicami odwiedzić dziadków w Krakowie, widziałem bardzo dużo gołębi. Robiły mnóstwo kup! A obok panie sprzedawały kwiaty.

– A fe! – Bianka się wykrzywiła. – Ptasie kupy są wstrętne.

– Tylko jeśli ptak na ciebie narobi – wyjaśnił Alan.

– Zaschnięta kupa gołębia nawet nie śmierdzi – dodał Maks.

– Ludzie, na których narobi ptak, to prawdziwi szczęściarze. Tak mówi moja babcia! – włączyła się Aniela.

– Nie wytrzymam! – wykrzyknął Alan. – Chciałabyś mieć ptasią kupę na głowie?

Ja też miałam coś do powiedzenia na temat kup, ale wtedy pani chrząknęła i poprosiła o ciszę, aby pan ekolog mógł prowadzić lekcję.

– Ptasie odchody są interesujące, lecz zacznijmy od populacji gołębi. W Krakowie obok Sukiennic jest ich mnóstwo. A ile gołębi może szybować w waszej okolicy? – powtórzył pan ekolog.

Wtedy nieśmiało odezwał się Michaś:

– Gołębi, proszę pana, to jest u nas bardzo dużo. Ja myślę, że nawet pięćset.

Pan ekolog aż klasnął z radości.

– Bardzo mądrze! Na tak niewielkim obszarze może mieszkać ponad sześćset gołębi, a zimą nawet o tysiąc więcej.

Spojrzeliśmy z podziwem na Michasia. Nawet Alan był zaskoczony.

– Czy wiecie, co to są gołębie pocztowe? – zadał kolejne pytanie pan ekolog.

Okazało się, że istnieje specjalna rasa gołębi – gołębie pocztowe. W dawnych czasach, kiedy nie było ani telefonu, ani maila, gołębie pocztowe przenosiły wiadomości. Zawsze chciały wrócić do własnego gniazda i dlatego ludzie mieli pewność, że wiadomość będzie dostarczona.

– Kiedyś dzięki gołębiom można było wygrać wojnę – oznajmił Michaś.

– Nie wytrzymam. – Alan się zaśmiał. – To gołębie miały miecze?

– Nie, kawalerze. Gołębie nie były wyposażone w broń – odezwał się pan ekolog. – Informacja to jedna z najważniejszych rzeczy w czasie wojny. Gołębie pocztowe już tysiące lat temu przenosiły wiadomości o ruchach wojska albo prośby o pomoc.

Znowu spojrzeliśmy z podziwem na Michasia. Skąd on to wszystko wiedział?

„Szkoda, że Michaś nie jest dziewczyną. Przydałby się ktoś taki w Tajnym Klubie Superdziewczyn" – pomyślałam z żalem.

Kiedy już wiedzieliśmy wszystko na temat gołębi pocztowych, pan ekolog wypuścił Kolumba z klatki. Wszyscy się rzucili, aby pogładzić jego piękne szare pióra. Kolumb spacerował dostojnie pomiędzy nami i... o rany! Podszedł do mnie. Wybrał mnie! Usiadł na mojej ręce i popatrzył mi prosto w oczy. Siedział bardzo spokojnie, ale dzieciaki znowu zaczęły się przepychać, każdy chciał go dotknąć. Wtedy Kolumb się zdenerwował i, zanim zdążyłam cofnąć dłoń, zadrapał mnie. Miałam na ręce długą krechę i leciała mi krew!

– Dlaczego to zrobiłeś? Przecież bardzo cię lubię! – powiedziałam cicho do gołębia.

Pani zdenerwowała się okropnie i wysłała mnie do pielęgniarki. Kiedy wróciłam, wszyscy oglądali już węża, który był w drugiej klatce.

– Węże żywią się mięsem i połykają swoje ofiary w całości – opowiadał pan ekolog. – Nawet jeśli są od nich większe.

Potem jeszcze mówił o różnych gatunkach węży, nawet tych jadowitych. Ale ja ciągle patrzyłam na Kolumba i na jego czerwone oczy. Myślę, że mogłabym się z nim zaprzyjaźnić.

Tego dnia mama przyjechała po mnie wyjątkowo wcześnie. Pokazałam jej moją rękę, którą od góry do dołu pokrywały plastry. Nie była zachwycona. Nawet podobizną Kolumba narysowaną przez Anielę.

– Emi, jeśli będziesz udawać ptasią mamę, to wypiszę cię z zajęć z ekologii – powiedziała stanowczo.

– Ja? Ptasią mamą? – Roześmiałam się. – Jestem za mała, aby być mamą!

– Hm – chrząknęła mama. – To jest taka przenośnia.

– Przenośnia? – zdziwiłam się. – Co mamy do przeniesienia?

– Nie pora na wykłady. – Mama się skrzywiła. –
Nie musiałaś chwytać ptaka i sadzać go sobie na ręce!

Potem słyszałam, jak rozmawiała podniesionym
głosem z naszą panią. Żadna z nich nie była zadowolona z tego spotkania.

Wyszłyśmy pospiesznie z sali. Nawet nie zdążyłam
zabrać kanapek, które udało mi się zachować specjalnie
dla mamy.

„Ptasia mama – pomyślałam, kiedy wracałyśmy do
domu. – też coś! Jestem szefem Tajnego Klubu Superdziewczyn".

FLORA POLUJE NA ZABAWKI

– Te wszystkie zabawki teraz są moje! – Flora stanęła w drzwiach, przymrużyła oczy i rozejrzała się po
moim pokoju.

Właśnie robiłam porządki w skrzyni skarbów.
Z hukiem zamknęłam wieko. Miałam tu kolekcję
figurek z najfajniejszych filmów. Mama przywoziła
mi je z tych swoich służbowych podróży.

– Nieprawda. One są moje! – krzyknęłam i ruszy-
łam do drzwi, aby zatrzasnąć je Florze przed nosem.
Byłam zła. Po prostu wściekła. Po drodze zgarnęłam
nowy globus, który mama kupiła mi wczoraj w gale-
rii handlowej. Nowiuśki piękny globus, który świecił
w nocy.

„Może jej nim przyłożyć?" – przyszło mi do głowy.
Ale zaraz uświadomiłam sobie, że mama będzie zła,

nawet gdybym użyła globusa w samoobronie. I pewnie stracę niedzielny deser. A miały być naleśniki! A niech to! Uwiesiłam się więc na klamce i z całej siły napierałam na drzwi, żeby je zamknąć i wypchnąć Florę z pokoju. Lecz ona z najbardziej złośliwym grymasem na twarzy, na jaki potrafiła się zdobyć, naciskała tak mocno na klamkę, że nie mogłam jej powstrzymać.

– Wygrałam! – obwieściła triumfalnie, wpadając do pokoju. Dosłownie wtoczyła się prosto na fotel, bo puściłam klamkę i drzwi ustąpiły.

To było wielkie wejście. Cisnęłam w nią z całej siły globusem. Globus wydał z siebie ostrzegający dźwięk: piiii, piiii, zapalił się na chwilę i zgasł. Mój nowy świecący globus się zepsuł! Przez Florę!

– Uuuu. Moje zęby! Straciłam wszystkie zęby! – wrzasnęła, obmacując szczękę.

– Florciu! Nie kłóćcie się! – zapiszczała z salonu pani Laura. – Emisiu, jestem pewna, że Flora tylko żartuje.

– To mają być żarty? – Wzruszyłam ramionami. – To wojna!

Flora spojrzała na mnie swoimi kocimi oczami…

– To wojna! – potwierdziła.

Zwykle, kiedy pani Zwiędły i Flora wychodziły, w moim pokoju panował okropny chaos, a zabawki były w opłakanym stanie. Lalki traciły buty, a ich potargane włosy były polepione gumą do żucia. To jeszcze nic, bo niektóre miały wąsy domalowane flamastrem. Niezmywalnym!

Mama, zaskoczona stanem mojego pokoju i zabawek, mówiła wtedy:

– To jest sodoma i gomora (albo jakoś tak), Emilio!

A ja za nic nie mogłam jej wytłumaczyć, że to nie moja wina. Ale dzisiaj nic z tego! Nie poddam się!

– Emisiu! Jak się bawicie, dziewczynki? – wciąż nadawała z salonu pani Zwiędły.

Nie znosiłam, kiedy nazywała mnie Emisią.

– Jestem Emilia, proszę pani – odpowiedziałam, a raczej odkrzyknęłam, z godnością. „I należę do TAJNEGO KLUBU SUPERDZIEWCZYN" – dodałam szeptem.

Oczywiście nikt mnie nie usłyszał. Mama była w tym czasie bardzo zajęta. Jak zawsze, kiedy przychodziła do nas pani Laura.

– Emi, pobaw się z Florką. Grzecznie! – krzyknęła z głębi kuchni.

Westchnęłam. Ja i moje zabawki byłyśmy zdane na łaskę Flory. I miałyśmy być grzeczne!

– Flora. Florcia. – Wzruszyłam ramionami. – Ona jest potworem.

Zawsze, gdy pani Zwiędły pojawiała się w naszym domu, okropnie bolała ją głowa. Mówiła wtedy:

– Po prostu pęka mi głowa, Justysiu! Uratuj mi życie swoją cudowną herbatką! Tą zieloną z hibiskusem!

Ten hibiskus to inaczej chińska róża. Rośnie w donicach albo na drzewach. A purpurowe liście można dodawać do herbaty. Niektórzy mogą mieć po takiej herbatce... he, he... rozwolnienie. Dzisiaj było jak zawsze: mama przygotowała herbatę i podała sałatkę oraz małe kanapeczki z tym pomarańczowym paskudztwem, które nazywa się łosoś. Fu, bardzo go nie lubię. Śmierdzi!

„Może panią Zwiędły dopadnie po hibiskusie rozwolnienie? I sobie pójdą?" – rozmarzyłam się.

Ale mama i pani Laura zamknęły się w salonie, włączyły muzykę (mama nazywała to muzyką „czili") i zaczęły szeptać coś między sobą. Miały swoje tajemnice. A ja miałam na głowie Florę.

Flora podkradała się czasami pod drzwi i podsłuchiwała. Było mi to bardzo na rękę, bo miałam możliwość ukryć przed nią swoje największe skarby. Jednak dzisiaj siedziała rozparta w moim ulubionym różowym fotelu i nie spuszczała oka z zabawek. Pewnie zastanawiała się, której lalce domalować wąsy! Co mam zrobić, aby wygrać tę wojnę? Albo przynajmniej bitwę?

– Wiesz… Mogę ci zdradzić… pewną tajemnicę – oznajmiłam.

– E, bujasz – odpowiedziała. – Przedszkolaki nie mają tajemnic.

– Jestem w zerówce! – przypomniałam jej. – W tej samej szkole co ty!

– To nie to samo… – Flora gwizdnęła. – Macie osobne wejście, jak przedszkolaki.

„I co z tego, skoro to jest zerówka" – pomyślałam i postanowiłam przypuścić atak: – Jestem szefową Tajnego Klubu!

– Ha, ha, ha! – Flora śmiała się, trzymając się za brzuch. – Ale pomysł, Emka. Nie ma żadnego Tajnego

Klubu. Nikt w to nie uwierzy. A już na pewno nikt z mojej klasy.

– Jeszcze o nas usłyszysz! – odparowałam.

Byłam przecież szefową Tajnego Klubu Superdziewczyn. Ale Flora nie miała o tym pojęcia! Chodzi już do szkoły, wchodzi wejściem dla uczniów i zadaje się tylko ze starszymi dziewczynami. Może nawet nosić im tornistry! Ale nie ma pojęcia o Tajnym Klubie Superdziewczyn.

– Mogę to udowodnić – oznajmiłam.

Zmrużyła oczy. Zrobiły się jeszcze bardziej kocie.

– Dobrze. Jeśli mnie nie przekonasz, będziesz musiała mi oddać… – Rozejrzała się po pokoju. – Chudego!

Przeraziłam się. Chudego? Dlaczego właśnie jego? Był jedynym facetem w pokoju, nie licząc kilku miśków. Zaraz wyobraziłam sobie, jak Flora zabiera Chudego, rysuje mu wąsy, przebiera go w sukienki, a potem wciska głęboko do skrzyni pełnej zepsutych zabawek. A Chudy jest tam bardzo, ale to bardzo samotny. Brrr!!!

„O nie – pomyślałam. – Nie oddam Chudego! Za nic. Tajny Klub istnieje! Flora sama się o tym przekona".

W tej chwili usłyszałam, że ktoś kręci się pod drzwiami. Do pokoju weszła pani Zwiędły.

– Flora, na nas czas. Tata już wraca ze spotkania, uciekamy, prędko.

Podskoczyłam z radości!

– Do widzenia, Emisiu. – Pani Zwiędły pochyliła się nade mną i pogładziła mnie po głowie.

Spojrzałam na nią krzywo.

– Emi – poprawiła się zaraz. – Jaka ona grzeczna – powiedziała i westchnęła, spoglądając porozumiewawczo na moją mamę, która nagle pojawiła się obok.

Przewróciłam oczami. Pani Laura energicznie obciągnęła spódnicę w kolorze łososiowym, która była tak wąska, że zupełnie nie wiem, jak mogła się w nią wcisnąć. Jeszcze większą tajemnicą było to, jak mogła się w niej poruszać. Ale niebawem miałam się o tym przekonać: robiła takie malutkie, malutkie kroczki, mnóstwo kroczków. Musiała ich zrobić ze dwadzieścia, aby przejść z mojego pokoju do wyjścia. Ja robię trzy susy i już jestem w korytarzu. Miała do tego buty na okropnie wysokich obcasach. Tak wysokich, że prawie sięgała głową kryształowego żyrandola w przedpokoju.

Kiedy już dotarła do drzwi, mrugnęła do nas porozumiewawczo.

– Muszę się odświeżyć, dziewczyny – oznajmiła i zniknęła w toalecie.

– Uuu. – Flora wydała z siebie dźwięk znudzonego nosorożca.

Zaraz jednak na jej twarzy pojawił się uśmiech – wyciągnęła telefon komórkowy, który natychmiast całkiem ją pochłonął.

Patrzyłam na nią z zazdrością. Flora miała swój własny TELEFON KOMÓRKOWY! A ja? Mogłam tylko o tym pomarzyć. I na dodatek mama nie chciała mi kupić odtwarzacza MP3! Wszystkie dzieciaki w zerówce już dawno miały empetrójki.

Wreszcie drzwi łazienki otworzyły się i pojawiła się w nich pani Zwiędły.

– Och! – zawołałam z podziwem. – Ma pani śliczną fryzurę.

Wyglądała tak pięknie jak lalki z moich katalogów. Nagle poczułam, że do mojego nosa wchodzi coś bardzo duszącego. Zawirowało mi w głowie.

– A psik! A psik! Aaa psik! – Wyrwało mi się bardzo głośno. – A psik! Aaa psik! – Kichałam dalej, mimo że zatkałam nos. – A psik! A psik! Aaa psik!

Mama przewróciła oczami. Ale czy ja mogę coś poradzić na kichanie? Pani Zwiędły wzięła Florę pod rękę i wyszły obie, zupełnie nie zwracając na mnie uwagi. Po chwili jednak Flora wróciła.

– Tajny Klub! Chudy! – rzuciła w drzwiach, robiąc kocie oczy. – Do zobaczenia, Emka!

Zagrałam jej na nosie.

– Przywołuję cię do porządku, Emilio Stanisławo Gacek! – syknęła mama, kiedy drzwi za paniami Zwiędły zamknęły się wreszcie na dobre. Nadal kręciło mnie w nosie i zdałam sobie sprawę, że coś okropnie cuchnie.

– Co tak śmierdzi? Znowu nie wyrzuciłyśmy śmieci? – Skrzywiłam się.

– To p a c h n ą perfumy pani Laury! – wyjaśniła mama z naciskiem na „pachną".

– Chcesz mi powiedzieć, że ten smród to perfumy?

– Pani Zwiędły to elegancka dama i używa perfum – odparła mama spokojnie.

„Zaraz! Czy to oznacza, że mama już nie jest damą?” – pomyślałam, bo nie pamiętam, aby kiedykolwiek hm... no, śmierdziała. Ale nie zapytałam jej wprost. Ryzykowałabym niedzielny deser. Głośno więc powiedziałam: – A ty, mamo? Ty nie jesteś już damą? Twoje zapachy są takie... takie cudowne.

Mama spojrzała na mnie uważnie.

– To dlatego flakoniki z moimi perfumami tak dziwnie szybko się opróżniają?

Zrobiłam chyba niezbyt mądrą minę, a mama mówiła dalej:

– Ja lubię perfumy świeże i kwiatowe. Takie, które przypominają mi dalekie podróże. – Rozmarzyła się. – Pani Laura – wyjaśniała dalej – używa perfum orientalnych i duszących. To są bardzo kobiece zapachy.

– Fe. Są okropne – prychnęłam. – Po co komu perfumy, które duszą!?

– Każdy wybiera to, co mu się najbardziej podoba. To kwestia gustu – odparła mama.

„Kwestia gustu, kwestia chrustu" – odpowiedziałam jej w myślach, ale zaraz przypomniałam sobie, że Flora planuje odebrać mi Chudego. Odwróciłam się na pięcie i pognałam do swojego pokoju, starannie zamykając za sobą drzwi. Jak miałam przekonać Florę, że Tajny Klub Superdziewczyn istnieje? Przecież nie zaproszę jej do członkostwa. Nikt jej nie polubi. Ale dzięki temu znalazłam misję: ratowanie Chudego z rąk Flory! Mój plan musiał być sprytny.

PRZYSZŁA WIOSNA
I POZNAŁAM FAU

Zima w tym roku była nieznośna. Ciągle sypała śniegiem i nie było pewne, czy kiedykolwiek przyjdzie wiosna. W sobotę spojrzałam na kalendarz niedbale zwisający z drzwi lodówki. 21 marca! To chyba już wiosna. Właściwie to na pewno.

– Wreszcie wiosna! – krzyknęłam, z wrażenia ledwie przełykając śniadanie.

– Zaskoczę cię, Emi. 21 marca wcale nie musi oznaczać pierwszego dnia prawdziwej wiosny. Dla astronomów wiosna się zaczyna, kiedy Słońce przekroczy równik. W tym roku zaczęła się wcześnie, bo już 20 marca, 14 minut po godzinie 6 rano – powiedział tata, nie odrywając oczu od gazety.

– Skąd o tym wszystkim wiesz? Przecież nie jesteś tym no… astro… menem. – Zachichotałam.

– Astronomem – poprawił mnie tata. – Przeczytałem. Ty też mogłabyś o tym wszystkim wiedzieć, gdybyś częściej czytała.

– Banalne! Poczytam później. – Wzruszyłam ramionami. – A może pójdziemy dzisiaj na wycieczkę, aby uczcić pierwszy dzień wiosny? Moglibyśmy nazbierać w parku piękne wiosenne kwiaty dla mamy – zapaliłam się.

Wprawdzie nie zapisałabym mamy do Tajnego Klubu, ale lubię, kiedy jest wesoła. Czasami kupuje mi lody albo ciastka i pozwala bawić się do późna.

– Kwiaty i drzewa potrzebują trochę czasu, aby rozkwitnąć. Teraz są jeszcze bardzo zmarznięte po zimie i czekają na słońce. Wegetacja dopiero się rozpoczyna. W parku wciąż leży śnieg. – Tata starał się ostudzić mój zapał.

„No jasne! WEGETACJA. Co to w ogóle znaczy?" – pomyślałam, ale postanowiłam nic już nie mówić. A potem się okazało, że kiedy rodzice chodzili do szkoły, pierwszy dzień wiosny był dniem wagarowicza.

– Co to jest wagarowicz? – zapytałam.

– E, no wiesz… – niepewnie zaczął tata, spoglądając badawczo na mamę, która weszła właśnie do kuchni rozczochrana i zaspana. – Wagarowicz to jest taki uczeń, który zamiast do szkoły na lekcje idzie sobie na przykład do parku.

– Ja wiem, ja wiem – krzyknęłam. – Brat Bianki uciekł wczoraj ze szkoły i poszedł topić marzannę! Potem dostał szlaban od rodziców, o! I Bianka nam mówiła, że jej brat to wagarowicz! – dodałam triumfalnie.

– Tak – potwierdził tata. – To jest właśnie przykład wagarowicza. – Topiłaś już marzannę? – zapytał zaraz.

– Banalne – odparłam. – Pewnie, że tak. Z całą zerówką. Marzanna odstrasza zimę. I zobacz, dzisiaj jest już wiosna!

– To jak, ekspercie, robi się marzannę? – zapytała mama i puściła oko do taty.

– Wystarczy mieć słomę albo karton i stare szmatki… i marzanna już gotowa. Potem wrzucamy ją do rzeki – wyrecytowałam, bo zupełnie niedawno opowiadała nam o tym pani. A potem sami zrobiliśmy prawdziwą marzannę. – A, i jeszcze jedno! Marzanna musi być ekologiczna. Inaczej nie ma mowy, aby ją wrzucić do rzeki – dodałam.

– Świadomość ekologiczna wśród młodego pokolenia rośnie z dnia na dzień – zauważył tata.

– Zbierajcie się krzepić kulturę fizyczną. A ja zaczynam w tym domu wiosenne porządki – zarządziła mama.

Poszliśmy więc pojeździć na rowerze. Tak naprawdę to ja jeździłam, a tata, spocony i zasapany, biegł za mną. Mam już prawie sześć lat, więc tata odkręcił małe kółka, żebym miała prawdziwy dorosły rower! Szefowa Tajnego Klubu powinna umieć jeździć na dwóch kółkach. Aniela opanowała to już dawno. Ale ja dopiero się uczę. Tata przymocował za siodełkiem roweru metalową rączkę. Ja pedałowałam, a on szybko biegł za mną, cały czas ją trzymając. Pędził jak błyskawica, a ja pedałowałam coraz szybciej i szybciej. Było bardzo fajnie. Jechałam prawie sama i bezbłędnie omijałam wszystkie przeszkody.

– To jest banalne! – krzyknęłam do taty.

– Ale to nie Tour de France! – odkrzyknął zadyszany.

I właśnie wtedy wpadłam w krzaki. A tata za mną.

– Uuuu! – zawył. – Kolce!

I pokazał mi prawy rękaw kurtki. A w nim wielką dziurę. Za to ja wyszłam z tego upadku bez szwanku!

– Wiesz, Emi, zrobimy małą przerwę. Mama da mi burę za kurtkę. Muszę też nabrać sił po tym Tour de France – oznajmił i poszedł do domu.

Chyba chciał odpocząć. Słyszałam, jak mówił kiedyś do mamy, że nie ma już kondycji… Zaparkowałam rower i poszłam na plac zabaw. Pod drzewami leżał jeszcze śnieg, a ziemia była twarda i zmarznięta. Na placu kręciła się chuda dziewczynka z długimi jasnymi włosami. Wspinała się zwinnie po linowej konstrukcji, która stała pośrodku. Nigdy nie widziałam, aby jakakolwiek dziewczynka weszła tak wysoko.

– Super! – zawołałam. – Ale wysoko weszłaś.

– Nie widzisz, że jestem zajęta! – odkrzyknęła, patrząc na mnie z góry.

Wzruszyłam ramionami. „Zołza".

Nie było sensu z nią rozmawiać. Postanowiłam wykopać wielką dziurę w piaskownicy. Mogłaby to być moja tajna skrytka. Tutaj będę przechowywać ważne rzeczy Tajnego Klubu Superdziewczyn. Kopałam więc sobie spokojnie, chociaż nie było mi łatwo – znalazłam tylko jedną malutką łopatkę. Na dodatek z plastiku. Uginała się pod ciężarem mokrego piasku. Zrobiłam też niezłe błoto, takie ohydne.

– Cześć! – usłyszałam nagle za plecami.

Odwróciłam się. To była ona. Zołzowata dziewczyna pająk.

– Jestem zajęta – odburknęłam.

– Mam na imię Faustyna – mówiła dalej. W ogóle nie przejmowała się tym, że teraz ja jestem z a j ę t a.

– F a u s t y n a? – Odwróciłam się jak oparzona. Zrobiłam chyba przy tym bardzo głupią minę: nie znałam dotąd nikogo o takim imieniu.

Uśmiechnęła się.

– Możesz mówić na mnie Fau. Tak nazywają mnie koleżanki z klasy.

– Chodzisz już do szkoły? – zapytałam.

– Do drugiej klasy – odpowiedziała.

– Fajnie! – wykrzyknęłam z podziwem. Pewnie wchodzi do szkoły wejściem dla uczniów, dlatego jej nigdy nie widziałam. Ale zaraz pożałowałam, że tak się rozgadałam, bo przecież wcale jej nie lubiłam.

– Pomogę ci kopać – zaproponowała Fau.

Nagle zagwizdała na dwóch palcach, po czym zawołała:

– Feeeeleeek! Mój brat ma wielką łopatę – wyjaśniła i znów zaczęła krzyczeć, aż zatkałam uszy, żeby nie słuchać tego hałasu.

„Przechwala się – pomyślałam. – Felek też pewnie ma jej dość".

Wreszcie z okna na drugim piętrze wychylił się rudy chłopiec.

– Czego chcesz? – zawołał niechętnie.

Fau zwinęła dłoń w trąbkę i krzyknęła jeszcze głośniej:

– Czerwona łopata! Rzuć!

Czerwona łopata wylądowała po chwili w piaskownicy, tuż przed naszymi nosami. Felek nieźle celował! Fau chwyciła ją i z zapałem wzięła się za kopanie. Ustaliłyśmy, że jej zadaniem będzie pogłębianie rowu, a moim – poszerzanie. Pracowałyśmy w milczeniu.

– Fajna zabawa – powiedziała w końcu jasnowłosa dziewczynka.

– Banalne. I nuda – wyrwało mi się, bo kopałam od ponad pół godziny. Najchętniej wspinałabym się po linach jak ona.

– Mam pomysł. Skoro mamy już ten rów, to zbudujmy indiańską osadę nad rwącą rzeką – zaproponowała Fau. – Widziałam coś takiego w westernach.

– Westernach? – zdziwiłam się.

– No wiesz, takie filmy o Dzikim Zachodzie. Występują tam Indianie i kowboje. Indianki mają swoje wigwamy! – wytłumaczyła mi. – Mój tata ciągle to ogląda – dodała.

– Niezła historia! – ucieszyłam się.

– Lejemy wodę do rowu – zarządziła Fau.

– Ale kiedy to jest tajna… baza – wykrztusiłam i natychmiast ugryzłam się w język. Przecież nie mogłam zdradzać sekretów Tajnego Klubu Superdziewczyn!

– Co jest tajne? – zainteresowała się Fau.

– Właściwie to nic. Nie mogę powiedzieć. – Zacisnęłam usta.

Na szczęście w piaskownicy pojawił się właśnie rudy chłopiec i odciągnął uwagę Fau. Sięgał jej do ramienia, ale oczy miał bardzo bystre – rozglądał się na prawo i lewo. To on rzucił nam łopatę.

– Tu jest coś tajnego – szeptem poinformowała go siostra.

– Jasne. Tajną sprawą jest to, że uciekłaś wczoraj z lekcji harfy! – wrzasnął triumfalnie. – Mama już wszystko wie! – dorzucił w biegu i tyle go widziałyśmy.

Spojrzałam na Fau uważnie.

– Grasz na harfie? – zapytałam.

– Eeeee. No tak. Gram – odpowiedziała bez entuzjazmu. – Mamy w domu dużo instrumentów – dodała. – Na harfie gram w szkole.

– Fiu, fiu. Jesteś jak wróżka – zauważyłam.

– Wiesz, zajmuje mi to strasznie dużo czasu. Nie mam kiedy się bawić. A dzisiaj wcale nie uciekłam z lekcji. Po prostu poszłam sobie do domu, bo nie było pani – wyjaśniła.

Pokiwałam ze zrozumieniem głową.

– Dobra – oznajmiłam. – Do pracy! Zróbmy indiańską wioskę. Jak z filmów.

– Dobra – zgodziła się Fau.

Najpierw stawiałyśmy wigwamy. To nie było takie proste. Chrust do budowy musiałyśmy zdobyć w ogródku sąsiadów. Tych, którzy nigdy nie oddają piłek i lotek, jakie tam wpadają. Zebrałyśmy stos gałązek i liści. Powinni być nam wdzięczni, że uprzątnęłyśmy im ogród! Skrzyżowałyśmy gałązki, narzuciłyśmy na górę liście i nasz pierwszy wigwam był gotowy. Potem udawałyśmy, że jesteśmy Indiankami. Ja byłam Indianką Mi, a Faustyna Indianką Fi. Mi i Fi mieszkały w wigwamie, a wokół nich żyło mnóstwo dzikich zwierząt. Fiolka, rudy kot z podwórka, który wylegiwał się w słońcu, był przerażającym wielkim lwem. Podchodził naszą wioskę i polował na zwierzęta.

Mężczyźni musieli nas bronić. Nie podobał mi się pomysł z mężczyznami, bo w Klubie Superdziewczyn ma nie być żadnych chłopaków. Ale Fau powiedziała, że właśnie tak wygląda życie w westernie. Tyle że na placu zabaw nie było żadnego mężczyzny.

– Mam pomysł – powiedziała moja nowa koleżanka. – Wiem, gdzie są ślimaki. Mogą być naszymi wilczurami i nas bronić!

W krzakach znalazłyśmy dwa potężne ślimaki.

– Super! – ucieszyłam się. – Są tłuste i zwinne. Nadają się na wilczury.

Wilczury warczały na lwa, który podstępnie skradał się do naszego wigwamu. Były już gotowe do walki, kiedy nagle usłyszałyśmy:

– Faustyna. Obiad!

Na balkonie stała pani z ręką zwiniętą w trąbkę. Miała rude włosy, całkiem tak jak Felek.

– To moja mama. Muszę iść – powiedziała kwaśno Faustyna. – Jedzenie. Ćwiczenia. Tralala – dodała.

– Nuda – zgodziłam się. – Przyjdź jutro. Wilczury będą czekać w wigwamie.

– Eee. Jutro już nie będzie naszej wioski. Dzieciaki na pewno to rozwalą – smutno rzuciła Fau.

– Tajny Klub Superdziewczyn na to nie pozwoli! – Stanęłam na baczność. I natychmiast zorientowałam się, co zrobiłam. Spaliłam sekret! Sekret Klubu!

– Tajny Klub? – zapytała Faustyna. – Co to jest?

Nie miałam wyboru. Musiałam opowiedzieć jej o wszystkim. O Klubie, o skrytce i o moim tajnym planie.

– Faustyna! Czekamy! – znowu zawołała jej mama, potrząsając czupryną czerwonych włosów.

Fau ścisnęła mnie za rękę.

– Musisz zapisać mnie do Klubu! – rzuciła. I pobiegła.

JAK SIĘ ROZZŁOŚCIŁAM, A POTEM TROCHĘ POLUBIŁAM FLORĘ

Rozzłościłam się dzisiaj nie na żarty.

– Mam dla ciebie niespodziankę, Emi – powiedziała mama, kiedy odebrała mnie ze szkoły.

Przyjechała dziś znacznie wcześniej niż zwykle. Po raz pierwszy w mojej przedszkolno-zerówkowej historii miałam szansę, aby pójść pierwsza do domu… Ale tym razem też się nie udało.

– Nigdzie nie idę! – zaprotestowałam stanowczo, jak przystało na szefową Klubu. – Mam sprawy do załatwienia.

Obgadywałyśmy właśnie kwestie Tajnych Dzienników w Tajnym Klubie Superdziewczyn i nie mogłam tak po prostu opuścić obrad. Tym bardziej że Pola narysowała w swoim dzienniku dziesięć portretów Alana!

Mama zrobiła zniecierpliwioną minę.

– Emilio Gacek – zaczęła, a mnie wtedy wpadło do głowy coś absolutnie genialnego. No przecież! To banalne! Mama na pewno była głodna! – Mamo, mieliśmy dziś pyszny podwieczorek – powiedziałam i podsunęłam jej kilka kanapek.

Chwyciła całą tacę, przysiadła na pufie i wyciągnęła ten malutki komputer, na którym ciągle coś pisze. W skupieniu zaczęła pracować, sięgając co chwila po nową kanapkę. Dziewczyny z Tajnego Klubu zamilkły. Wpatrywały się w nią, jakby była jakimś przybyszem z kosmosu. Przewróciłam oczami. No tak, inni rodzice nie podjadają kanapek swoim dzieciom. A mama? Ona zawsze jest głodna!

– W domu się nie przelewa. – Zachichotała i puściła oko do dziewczyn. Roześmiały się wszystkie.

– Fajną masz mamę! – powiedziała Aniela i szturchnęła mnie.

No więc kiedy już wracałyśmy do domu, próbowałam dowiedzieć się czegoś konkretnego o tej niespodziance.

– Pojedziemy na pizzę? – zapytałam, oblizując się na samą myśl. – Chciałabym dzisiaj zjeść margaritę. Albo nie, wieeelką pizzę z szynką. – Rozmarzyłam się.

– Prujemy prosto do domu – odpowiedziała mama. – Zrobimy sobie małe przyjęcie. Mamy gości – dodała tajemniczo.

– Fajnie. Będzie czad imprezka – ucieszyłam się. Lubiłam imprezki w piątki. Mogłam wtedy dłużej się bawić i mama nie goniła mnie do spania. A potem podglądałam w telewizji seriale o wampirach.

Sprawa wyjaśniła się dopiero w domu.

– Emi, posprzątaj w pokoju, a później przyjdź do kuchni do pomocy. Mamy dzisiaj babski wieczór! – zarządziła mama.

Zaniepokoiłam się.

– Co to jest babski wieczór?

– Wpadnie do nas pani Laura z Florą. Flora mogłaby ci opowiedzieć o szkole. O tym, jak sobie radziła w czasie egzaminów. To już niedługo, moja uczennico! – Mama uścisnęła mnie wesoło.

– F l o r a będzie dziś u nas? – Nie mogłam uwierzyć.

Odwróciłam się na pięcie i pomaszerowałam do swojego pokoju, wykrzykując:

– Nie ma mowy. Nie cierpię jej!

Weszłam pod stół, gdzie miałam swoje tajne miejsce. Ukrywałam w nim zabawki, kiedy przychodziła do nas Flora. I zaszywałam się tam, kiedy byłam tak zła jak dzisiaj.

Siedziałam sobie i powtarzałam:

– Nie będę bawić się z Florą. Nie będę bawić się z Florą. W piątek wieczorem na czad imprezce. Nie i jeszcze raz nie! To nie jest sprawiedliwe. Moje życie jest paskudne.

Nagle usłyszałam hałas w korytarzu. Nadstawiłam uszu.

– Nawet nie wiesz, Justysiu, jakie są korki! – piszczała pani Laura. – To nie do pomyślenia. W piątkowy wieczór! I to dlaczego? Z powodu jakiegoś meczu.

– Nasi panowie na pewno będą się na nim świetnie bawić. W końcu to pierwszy mecz na Stadionie Narodowym. – To była mama.

– Ech – zwróciłam się do Chudego. – Cały piątek zmarnowany. Przez Florę! – Miałam zamiar ukrywać się w ciemnym pokoju przez cały wieczór. I za nic nie planowałam wyjść.

Wtem usłyszałam jej głos. Była w moim pokoju!

– Cześć, Emka. Wiem, że tu jesteś – powiedziała. Nie zapaliła światła.

– Bleee – zaskrzeczałam w odpowiedzi. I mocniej przytuliłam Chudego.

Flora usiadła na dywanie pośrodku pokoju. Nie odzywała się do mnie. Ja do niej też nie.

– Jestem smutna – wyznała wreszcie.

Coś takiego. Flora była smutna.

– Naprawdę? – zapytałam.

W odpowiedzi usłyszałam ciche pochlipywanie.

– Nie martw się. Wszystko będzie dobrze – spróbowałam ją pocieszyć, bo w końcu zrobiło mi się naprawdę jej żal.

Wtedy zaczęła płakać głośniej.

– Ty nic nie rozumiesz! Mój tata poszedł na mecz. Beze mnie! A mieliśmy iść do kina. Obiecał! – krzyczała.

Wygramoliłam się z kryjówki, rozjaśniając mrok latarką. Poświeciłam prosto na Florę. Jej oczy były mokre od łez, a nos miała całkiem czerwony.

– Mój tata też tam jest. Ubrał się nawet w koszulkę z nazwiskiem Ronaldo – oznajmiłam spokojnie.

Ale Flora nie zareagowała. Zaczęłam więc z innej beczki.

– Mam parę mentosów w kryjówce. Zjemy? – zaproponowałam z nadzieją, że to ją pocieszy.

– Dobra. Dawaj – zgodziła się, pociągając nosem.

Po chwili obie wlazłyśmy pod stół.

– Fajnie tu. – Flora rozejrzała się wokół, oświetlając latarką każdy zakamarek. – Ile zabawek! – zdziwiła się i wytarła łzy.

Było mi głupio. Nie mogłam jej przecież powiedzieć, że ukrywam to wszystko przed nią. Moje rozmyślania przerwały hałasy pod drzwiami:

– Dziewczynki! Same pyszności! Kanapki z pastą jajeczną i sok żurawinowy – zawołała mama, stukając do drzwi.

Bez słowa wystawiłam rękę na zewnątrz i kolejno odebrałam kanapki, sok, a potem naczynia. Nie patrzyłam na mamę. Byłam przecież obrażona. Kiedy wgramoliłam się z powrotem do kryjówki, zobaczyłam, że Flora trzyma w ręce odznakę Tajnego Klubu Superdziewczyn. Oglądała ją ze wszystkich stron.

– Co to jest? – zapytała.

Podrapałam się po głowie – ale wpadka! Jak mogłam zostawić odznakę na pastwę Flory?!

– Eee – zaczęłam niepewnie, bo przecież wyśmiała nasz Tajny Klub. – To nic takiego. Taka dziewczyna z zerówki narysowała.

– Co za pomysł – pochwaliła Flora. – Superman i baletki! Wy, przedszkolaki, ciągle gadacie o tym balecie.

– O, przepraszam – zaprotestowałam. – Nie jestem już przedszkolakiem. I lubię balet. Nie gadam o nim. Ja tańczę!

Wyskoczyłam na środek pokoju i wykręciłam piruet. Całkiem udany.

– Też mi wyczyn – podsumowała mnie Flora. – Balet już się nie liczy. To dobre dla przedszko… no, niech ci będzie, dla zerówki. – Ja zapisuję się na piłkę nożną – oświadczyła. – Będę stała na budzie.

– Na budzie?! – zdziwiłam się.

– To znaczy, że będę broniła bramki. – Wzruszyła ramionami w odpowiedzi.

– To dziewczyny mogą być bramkarzami? – zapytałam i zaraz ugryzłam się w język, bo zachowałam się jak Bianka z naszej zerówki.

Flora obrzuciła mnie niechętnym spojrzeniem i pewnie powiedziałaby, co o mnie sądzi, ale wtedy znowu weszła mama.

– Dziewczyny, chodźcie do nas. Zobaczycie Stadion Narodowy i Cristiano Ronaldo!

– Wiesz, chciałabym zobaczyć tego Ronaldo – oświadczyła Flora.

– Pójdziemy do nich i będziemy patrzeć na mecz? Jak chłopaki? – byłam zaskoczona.

– Ja po prostu muszę obejrzeć ten mecz. A ty jak chcesz – odparowała. Zaraz też zrobiła wielkie maślane oczy i dodała: – W naszej klasie jest taki chłopak. Świetnie gra w piłkę nożną. Ciągle gadamy o różnych sprawach. Jutro będziemy gadać o meczu. Sama więc widzisz: muszę wiedzieć, o co chodzi. – A po chwili namysłu przyznała: – Lubię go.

Spojrzałam na nią zaskoczona.

„Lubi go? Flora kogoś lubi? Może nie jest jednak taka zła i Chudy zostanie ze mną?" – zaświtało mi w głowie.

Poszłam więc posłusznie za nią do pokoju gościnnego. Mama i pani Laura siedziały wpatrzone w ekran telewizora. Nawet nas nie zauważyły.

– No mówię ci, Justysiu, on jest wspaniały! Och, gdybym znowu miała osiemnaście lat! – gorączkowała się pani Laura.

Spojrzałam kątem oka w kierunku telewizora. Po boisku biegał opalony chłopak z ciemnymi włosami zaczesanymi w lok. I kopał piłkę. Za nim goniła banda innych chłopaków.

– Kto to? – zapytałam.

– Emilio! To jest Cristiano Ronaldo. Portugalski piłkarz. Napastnik – wyjaśniła mama.

„Będzie bura" – pomyślałam. Kiedy zwracała się do mnie „Emilio", nigdy to nie wróżyło nic dobrego.

– Gra w Realu Madryt – entuzjastycznie dodała Flora.

– Florciu, skąd o tym wiesz? – zainteresowała się pani Laura. – Masz to po tatusiu! On po prostu szaleje za Realem.

– Tata? Tata jest teraz na meczu. Beze mnie! – wybuchnęła jej córka.

W pokoju zapadła cisza.

– Wiem bardzo dużo o Ronaldo – odezwała się nagle ponownie. – Franek mi opowiada.

– Franek? – Pani Laura uniosła brwi i uśmiechnęła się porozumiewawczo do mamy.

– A tak. Franek. Fajny Franek. Nie gada ciągle o ciuchach albo o lalkach Barbie jak wszystkie dziewczyny. Rozmawiamy o piłce nożnej – oświadczyła Flora, po czym dodała: – I chciałabym, aby od dzisiaj wszyscy mówili do mnie Flo.

– Ups! – W głowie zapaliła mi się czerwona lampka: coś się dzieje!

Mama i pani Zwiędły spojrzały na siebie porozumiewawczo.

– Franek to wymyślił. To moja ksywka – wyjaśniła z dumą Flora.

– Cóż to za maniery. – Jej mama uniosła w oburzeniu brwi. – Ksywka? To łobuz!

– A wcale że nie! – z satysfakcją odparowała Flora. – Jest najlepszym uczniem w klasie. A jego tata jest... jest... – zawahała się i zakończyła z dumą – profesorem.

– Będę musiała przyjrzeć się twoim kolegom – zatroskała się pani Laura.

Córka wydęła usta.

– Fajny Franek!

Potem oglądałyśmy mecz. Kiedy Ronaldo schodził z boiska, cały stadion gwizdał.

– Czemu gwiżdżą? Coś im się nie podoba? – dziwiłam się.

– To absolutny brak elegancji – powiedziała mama.

– Zazdrośnicy! Ronaldo jest najlepszy. Naj-lep-szy! Naj-lep-szy! – wyskandowała Flora.

Parę minut przed końcem meczu pani Laura zerwała się, wyściskała mamę, mnie i... Florę! Potem wybiegła – s a m a! – z naszego mieszkania, wykrzykując:

– Lecę na randkę ze Zwiędłym! Po raz pierwszy od dziesięciu lat! Trzymajcie się, dziewczyny!

A Flora? Flora stała obok mnie i przewracała oczami. Spojrzałam z wyrzutem na mamę, ale ona uśmiechnęła się tylko tajemniczo i zniknęła w kuchni. A potem stało się coś, w co początkowo nie mogłam uwierzyć. Flora została u nas na noc. Przepraszam, nie Flora, lecz Flo. Postanowiłam znieść to dzielnie – jak Superdziewczyna z Tajnego Klubu. Chociaż musiałam dzielić z nią pokój. Mój pokój.

WIZYTA U ZWIĘDŁYCH.
SPOTYKAM PROFESORA KAGANKA

Uwielbiam piątki. Potem jest sobota, a po sobocie niedziela! W niedzielę mogę spać nawet do dziesiątej. W niedzielę na śniadanie tata robi supernaleśniki. W niedzielę po obiedzie jest obowiązkowo superdeser. Czasem udaje mi się namówić mamę na lody czekoladowe. Wtedy już w piątek planujemy sobie czekoladowy weekend. W ostatni piątek była za to bardzo tajemnicza.

– Emi, mamy jutro babską rewizytę u państwa Zwiędły – powiedziała. – Pamiętaj, proszę, o tym.

– Babska rewizyta? – zapytałam niepewnie. W ogóle nie zrozumiałam, o co chodzi.

– Och, Emi! – zniecierpliwiła się mama. – Ostatnio pani Zwiędły i Flora odwiedziły nas, a teraz my jesteśmy zaproszone i odwiedzimy je. To właśnie rewizyta. – Potem dodała, rozmarzona: – I to mi się podoba. Będę siedziała wygodnie na kanapie, z błyszczącymi paznokciami, będę sączyć drinki... – urwała, ale zaraz się poprawiła: – No, może herbatę.

– Mamo, przecież wiem, że lubisz dobre wino – oświadczyłam rezolutnie.

– No tak, Emiś, ale to są sprawy dorosłych – odpowiedziała mama.

– Dlaczego ciągle mnie uważacie za malucha – obruszyłam się. – Jestem już w zerówce, a niedługo zostanę szkolniakiem. Jestem już duża!

W sobotę przed rewizytą udało mi się przekonać mamę, że jestem już na tyle dorosła, żeby pomalować sobie paznokcie. Wybrałam najpiękniejszy lakier z kolekcji mamy. Cudowny czerwonopomarańczowy kolor, który nazywa się „Holenderski tulipan". Mama starannie pomalowała moje paznokcie. Wyszły bardzo elegancko. Jak w filmie.

– Emi, wyglądasz jak prawdziwa dama – przyznała mama, z dumą spoglądając na własne dzieło.

Potem założyłam swoją najlepszą sukienkę wizytową, biało-granatową z marszczoną spódnicą i halką z tiulu. To była jedyna sukienka bez guzików. Nie cierpię guzików. Brrr! Dobrałam do tego buty – czarne lakierki z czerwoną kokardką. Stanęłam przed lustrem.

– I jak? – zapytałam.

– Jest jeszcze coś do zrobienia... Twoja fryzura – zauważyła mama.

– No tak! Fryzura! – Puknęłam się w głowę, a raczej w sterczące na wszystkie strony włosy. Przecież piękne panie w filmach mają loki. – Mamo! – wrzasnęłam. – Nic tu nie pasuje! Mam suknię i czerwone paznokcie. Ale przecież nie mam loków!

– Kochanie, loki trzeba zamówić u fryzjera z miesięcznym wyprzedzeniem. Albo męczyć się całą noc na wałkach – odparła mama z westchnieniem.

– Jak to na w a ł k a c h? – zdziwiłam się.

– A no tak to. Pamiętasz ciocię Jadzię? Tę, która ciągle mówi, że musi powałkować sobie włosy?

Wtedy przypomniałam sobie ciocię Jadzię z wielką czupryną.

– Nie mamy wałka. – Westchnęłam. – Następnym razem zapisz mnie do fryzjera. Niech dorobi mi trochę włosów i je wywałkuje. To banalne!

Mama zrobiła mi gładką fryzurę z mojej kupy sterczących włosów, a na koniec spryskała je olejkiem o przepięknym kwiatowym zapachu.

– Jeszcze lakier! – zażądałam.

Poczułam, że na włosy spada mi mgiełka. Nie była już tak pachnąca, ale za to włosy nabrały kształtu prawdziwej fryzury.

– Mogłabym teraz pójść na bal – rozmarzyłam się, patrząc w lustro.

– Emi – przerwała mi zdecydowanie mama. – Koniec wygibasów przed lustrem. Pizza u państwa Zwiędły będzie lodowata.

– Muszę jeszcze zabrać Chudego. Bez niego nigdzie się nie ruszę – oświadczyłam. – Albo nie, lepiej chomika! Albo może nowe kredki! – wykrzykiwałam gorączkowo, bo przypomniałam sobie właśnie, że nie przygotowałam żadnych zabawek na to wyjście.

– Emi, no już. Lecimy. Flora ma mnóstwo zabawek – skarciła mnie mama.

W biegu porwałam Piesinkę (to mój ukochany piesek w kolorze biszkoptowych ciastek, z wielkimi smutnymi oczami), a mama porwała mnie i pędem ruszyłyśmy do auta. Państwo Zwiędły mieszkają w domu przy długiej krętej ulicy w wielkim parku na górce. Tam, gdzie są same eleganckie budynki. Niektóre wyglądają nawet jak pałace!

Kiedy dotarłyśmy na miejsce, mama zatrzymała auto przed bramą i wcisnęła guzik na wielkim srebrnym ekranie. Na monitorze zobaczyłam twarz pani Zwiędły. Zupełnie jak w filmach!

– Dziewczyny! Cudownie was widzieć! Zapraszamy. – Pani Zwiędły rozpłynęła się w uśmiechu, a potem zniknęła całkowicie, bo ekran zgasł.

Brama się uchyliła i powoli przesunęła, a nasze auto majestatycznie wtoczyło się na dziedziniec. Oniemiałam. Dom państwa Zwiędły wyglądał jak zamek z Disneylandu.

– Ooo! – wydałam z siebie okrzyk, bo nagle, jakby za dotknięciem czarodziejskiej różdżki, tysiące świateł oświetliło dom i ogród. Na schodach pojawiła się pani Laura w eleganckiej czarnej sukience i różowych błyszczących butach. Oczywiście na najwyższym obcasie, jaki kiedykolwiek widziałam. Za nią dreptała Flora. Z nadąsaną miną, rzecz jasna.

– Dziewczyny! – Pani Zwiędły wyściskała nas energicznie, po czym poczochrała mnie po włosach, wołając śpiewnie: – Będzie niespodzianka! Będzie niespodzianka!

Byłam wściekła. Moja f r y z u r a. Moje gładko uczesane włosy. Wszystko na nic! Skrzywiłam się i spojrzałam błagalnie na mamę, a ona puściła do mnie oko. Flora skrzywiła się jeszcze bardziej.

– Zwiewamy, Emka – szepnęła mi do ucha i pociągnęła za sobą.

Tym razem nie miałam nic przeciwko temu. Może nawet ją polubię? I wciągnę do Klubu?

– Mega! – szepnęłam w odpowiedzi.

Pognałyśmy jak szalone przez korytarze wielkiego domu państwa Zwiędły. Biegłam za Florą. Falbany jej różowej sukienki rozwiewały się i falowały w pędzie. Czułam się, jakbyśmy były na szalonym balu. Mijałyśmy kolejne pokoje, było ich chyba z dziesięć. Wyobrażałam sobie, że w każdym z nich odbywają się tańce i wielkie przyjęcia. Wreszcie wpadłyśmy do pokoju Flory. Stanęłam jak wryta. Był tu chłopak! Tak. Chłopak. W mojej głowie znów zapaliła się czerwona lampka. Brrr! Spojrzałam ze zdziwieniem na Flo.

– Eeeee – zająknęła się. – No wiesz. Mama chciała zrobić nam niespodziankę i zaprosiła Franka. Tego z mojej klasy – dodała niedbale. – Jego tata jest… no wiesz… tym tam… profesorem.

„Świetnie – pomyślałam. – A już miałam ją wpisać do Klubu Superdziewczyn". Na głos zaś powiedziałam:

– Też mi niespodzianka. Jakbym nigdy nie widziała chłopaka. – Skrzywiłam się.

Franek siedział na dywanie i pochylał się nad wielką mapą. Właściwie była to wielka głowa i malutki tułów w nudnej kamizelce w romby, spod której wystawała biała koszula.

– Cześć, dziewczyny – rzucił do nas. – Studiuję właśnie nazwy krajów w Ameryce Południowej. Argentyna. Brazylia. Boliwia – wyliczał.

– Nuda. – Wydęłam usta. I dodałam: – Ekwador. Chile. Urugwaj.

– Honduras. Panama. Peru. Paragwaj – zawtórował Franek.

„Mądrala!" – pomyślałam, ale odpowiedziałam grzecznie: – Wcale mnie to nie interesuje. To jest banalne!

– Coś ty! – zawołała Flora. – Mamy tu superpomysły. Będziemy rysować flagi.

– A konkretnie rysujemy flagi, aby uczcić dzień flagi – dodał flegmatycznie Franek i zsunął okulary na sam czubek nosa.

„O rany! Mądrala w okularach".

Okulary w grubaśnej oprawce i z jeszcze grubszymi szkłami zakrywały mu pół twarzy. To nawet nieźle, bo chyba był strasznym brzydalem. Usiadłam obok i z niesmakiem patrzyłam na wielką mapę, wielką głowę Franka i wielką miłość Flory. Tak właśnie podpowiadała mi lampka w mojej głowie: „Chyba mamy tu wielką miłość". Brrr! Flora była wpatrzona we Franka jak w jakiś obrazek.

– Dzień Flagi będzie 2 maja – powiedziała. – Prawda, Franek?

– Dokładnie! – potwierdził. – W Dzień Flagi pan prezydent i pani prezydentowa zaproszą dzieci do pałacu.

– Kto by chciał tam iść? – Wydęłam usta.

– Ja idę! – zawołała Flora. – Z Frankiem.

Tego już było za wiele.

– To ja pójdę obejrzeć film. A wy się oflagujcie.

– Ej, obrażalska. Może po prostu nie znasz żadnej flagi – zaczepnie powiedział Franek.

Flora, nie zwracając na mnie uwagi, wyciągnęła z szafy wielki kawał papieru i rozłożyła go na podłodze.

– Teraz będziemy rysować flagę Stanów Zjednoczonych – zadecydowała.

Papier zajmował pół pokoju. Wyjęli pudło kredek i wzięli się za rysowanie.

– Emi, ty narysuj gwiazdki. My będziemy malować pasy – zaproponowała Flora.

– *Stars and stripes* – zamruczał Franek i pochylił się nad arkuszem.

– Banalne – oświadczyłam.

Wiedziałam przecież, że na amerykańskiej fladze są gwiazdy i paski. Obchodziliśmy w zerówce amerykański dzień indyka i też robiliśmy flagi. Ale mi wydarzenie. W końcu z nudów dołączyłam do nich i narysowałam te wstrętne gwiazdki. Niech im będzie! Musiałam się nieźle natrudzić – potrzebowaliśmy aż 50 gwiazdek, bo tyle jest stanów w Ameryce. Franek i Flora namalowali pasy. Flaga była gotowa.

– A teraz każde z nas narysuje inną flagę – zawołał Franek. – Będziemy ciągnąć losy.

No i wyciągnęłam los z flagą Szwecji. Banalne! Franek miał narysować flagę Francji, a Flora – Unii Europejskiej. Pochyliliśmy się nad swoimi kartkami i z językami na brodzie malowaliśmy flagi. Nagle pod drzwiami rozległo się szuranie i do pokoju wkroczyła pani Zwiędły, a za nią mama.

– Och, jacy jesteście zapracowani! To ty, Franku, zaproponowałeś takie kreatywne zajęcie? – zapytała pani Zwiędły.

– Jesteśmy bardzo zajęci tym zajęciem – prychnęła Flora.

– Marta przyniesie wam hot dogi. Chodźmy, Justysiu, niech młodzież pożytecznie spędza czas – zapiszczała pani Laura i wyciągnęła mamę z pokoju.

Pstryknęłam palcami.

– Uwielbiam hot dogi.

– Tak? A wiesz, z czego robi się parówki? – zapytał Franek z wyższością.

– Z mięsa – wyjaśniłam. – To banalne.

– Z odpadów mięsnych. Z mielonej skóry – mówił powoli i coraz bardziej się wykrzywiał. A Flora razem z nim!

– I jeszcze z… – Chłopiec chciał coś dodać, lecz nie pozwoliłam mu dokończyć.

– Przestań! Jesteś wstrętny! – wrzasnęłam i zatkałam sobie uszy.

– To parówki są wstrętne. – Franek popatrzył mi prosto w oczy. Ale zobaczyłam tylko jego grubaśne szkła.

Wkrótce potem Marta, która pomagała w domu państwa Zwiędły, przyniosła hot dogi. Były jeszcze ciepłe i pachnące. Niestety, nikt z nas nie miał już na nie ochoty. A najmniej ja.

– Poproszę bułkę z serem – wymamrotałam, a Flora wyszczerzyła się do niej w głupim uśmiechu.

Marta powiedziała coś bardzo szybko i wyszła z pełną tacą. Ups, jaka szkoda! Byłam już porządnie głodna. Jakby na moje wezwanie do pokoju ponownie weszła pani Zwiędły, a za nią mama.

– Głodni? Za mną. Należy się wam nagroda za piękne flagi. *Viva la pizza!* – zawołała.

Zerwałam się na równe nogi. Pani Laura czytała w moich myślach!

– A wiecie, z czego jest zrobiona pizza? – zaczął Franek.

Podbiegłam i zatkałam mu usta. Zakneblowałam go po prostu!

– Nic nie mów. Nie chcę wiedzieć! Chcę już pizzę! – krzyknęłam.

Spojrzałam błagalnie na mamę, lecz ona zmarszczyła tylko brwi i popatrzyła na mnie, dając tym do zrozumienia, że nie pochwala kneblowania. Gdyby tylko wiedziała, z czego zrobione są hot dogi... Potem poszliśmy wszyscy na ucztę. Franek był obrażony. Nie odzywał się do nikogo. Ale kto potrzebuje naukowych wywodów o hot dogach? No i o pizzy? Tym razem pani Laura zrobiła nam prawdziwą niespodziankę. Było pieczenie pizzy na życzenie. Każdy mógł wybrać składniki swojej ulubionej pizzy, a potem Marta piekła je wszystkie w wielkim piecu. Ja wybrałam serową – cztery sery. Mama i pani Laura – z szynką. Kompletna nuda. Za to Flora i Franek, który był łaskaw wreszcie się odezwać, poprosili o pizzę ekologiczną. Pizzę ze szparagami i z karczochami, których po prostu nie cierpię. Co prawda, nie wiem zupełnie, jak smakują, bo nigdy ich nie jadłam, ale na pewno są wstrętne. Wpisuję je na listę paskud obok guzików i kremu do twarzy. Zawsze na ich widok będzie mi się zapalać czerwona lampka. Brrr! Za to pani Laura pochwaliła ich wybór:

– Bardzo oryginalnie! I zdrowo!

– Jasne. Mądrala w okularach – powiedziałam do siebie. Bardzo cicho.

Jestem przekonana, że nikt nie słyszał. Mama znowu zmarszczyła czoło. Zupełnie nie wiem, jak się domyśliła. Może czyta w moich myślach? Na szczęście

Marta już po chwili zaczęła podawać pizzę. Moja była pierwsza! Mniam! Moje cztery sery! W sam raz na mój wielki głód. Kiedy tak czekaliśmy na kolejne, pani Zwiędły włączyła muzykę. Okazało się, że to melodie z lat jej młodości, gdy studiowała we Włoszech.

– Ach, ci Włosi! Mówię ci, Justysiu! Ach, szkoda, że nie mam znowu osiemnastu lat... – Uścisnęła mamę.

Wtedy na stół wjechała pizza Franka i Flory. Hm. Nie wyglądało to na pizzę. Na placku leżały sflaczałe zielone badyle i białe bezkształtne strzępy.

– To ma być pizza?! – wrzasnęła Flora. – A gdzie pomidory? Gdzie sos? Gdzie ser?

– Ależ, kochanie! – odrzekła jej mama spokojnie. – To jest wasza ekologiczna pizza. Z karczochami i ze szparagami. Bardzo zdrowa.

– To nie jest żadna pizza. To tylko kupa badyli! – rozdarła się Flora. – Ja chcę prawdziwą pizzę! Z serem! Taką, jak ma Emi.

To była moja chwila. Chwila triumfu. Tak, to ja, Emi, wybrałam najlepszą pizzę. Banalne! Franek jakby nie słyszał, co się dzieje, całkiem spokojnie pałaszował zielone badyle i białe strzępy. Do akcji wkroczyła Marta i mamrocząc do siebie coś niezrozumiałego, zabrała talerz Flory. Wtedy Franek zerwał się na równe nogi i z pełnymi ustami wykrztusił:

– Ja chętnie zjem porcję Flory.

I kolejne badyle powędrowały do niego.

Postukałam się w głowę.

– Co z niego za ekolog?

Już po raz trzeci w czasie tej wizyty mama spojrzała na mnie znacząco. Za to ja bawiłam się fantastycznie: w końcu zajadałyśmy się z Flo najlepszą pizzą na świecie! Pizzą cztery sery z dodatkową porcją sera. Mniam. I tak sobie wszyscy pałaszowaliśmy, słuchając włoskiej muzyki z czasów, kiedy pani Laura studiowała we Włoszech, i podśpiewując wraz z nią *O sole mio*.

Nagle Franek się poderwał i wyrecytował:

– Drogie panie, czas się pożegnać. Za dwie minuty będzie tu mój tata. Mamy do zakończenia ważny projekt. Dziękuję za wyśmienite przyjęcie.

No tak. Ten zawsze musi wszystko zepsuć w najmniej odpowiednim momencie! Tata Franka pojawił się dokładnie za dwie minuty, jak w zegarku.

– Ależ nie ma żadnego kłopotu, profesorze – uspokajała mama Flo, kiedy Franek i jego tata byli już w drzwiach. – A może zostanie pan na deser? Same włoskie wspaniałości: panna cotta z malinami, tiramisu i sorbety. – Pani Laura nie poddawała się, usiłując wciągnąć profesora do salonu.

– Całuję rączki. – Tata Franka wycofywał się w ukłonach. – Syn asystuje mi dzisiaj w ważnym doświadczeniu. Z nanonauki! Wszystko jest już przygotowane. Nauka nie znosi spóźnialskich.

I tyle ich widziałyśmy.

Pani Laura jeszcze długo opowiadała o ważnych projektach, jakie prowadzi tata Franka, czyli profesor Kaganek. No i o tym, jak wspaniały wpływ na Florę ma przyjaźń z Frankiem. Jej córka siedziała nadąsana. Ja wiedziałam swoje. Czerwona lampka paliła się w mojej głowie. Byłam pewna: Flora + Franek = Wielka Miłość. Zapisałam też w tajnym dzienniczku Klubu: „Profesor Kaganek". Czym się zajmuje? Dlaczego tak szybko się wycofał? Jakie prowadzi eksperymenty? I czym jest ta nanonauka? Tajny Klub Superdziewczyn musi to sprawdzić! Przeczuwałam, że jeszcze się spotkamy.

MAMA WYJEŻDŻA DO LONDYNU. JA WPADAM NA TROP

Już od miesiąca żyłam wyjazdem do Londynu. Nie swoim, rzecz jasna. Ja będę mogła pojechać do Londynu dopiero wtedy, kiedy bez marudzenia przejdę sama najdłuższą ulicę w centrum. Zobaczę wtedy Oko Londynu, Big Bena, zmianę warty pod pałacem królowej. I, co najważniejsze, pójdę do wielkiego i najstarszego chyba na świecie sklepu z zabawkami, gdzie będę mogła wydać pieniądze z mojej skarbonki. Mega! Tym razem jednak do Londynu wybierała się mama. Na całe trzy dni. Tata miał w tym czasie organizować wszystko w domu.

– Wreszcie to ja jadę na bankiet! – triumfalnie ogłaszała mama. – Na dyżurze zostaje tata.

– A ja? – zapytałam. – Kiedy ja pojadę na bankiet? W końcu wy już byliście!

– Za jakieś dwadzieścia lat – oświadczył tata i zagłębił się w jednej ze swoich wielkich ksiąg z rysunkami pałaców, starych domów i zabytków. Ale zaraz dodał:

– My, koleżanko, urządzimy sobie bankiet w domu. Będzie trwał całe trzy dni.

– Oznacza to, Emiśku, że przez całe trzy wieczory będziesz zmywać i odkurzać – złośliwie skomentowała mama.

Na dzień przed wyjazdem mama była tak bardzo zajęta, że nawet nie zdążyła otworzyć walizki. Nie mówiąc już o porządnym pakowaniu. Wieczorem oznajmiła tylko:

– Spakuję się rano. Będę miała przejrzysty umysł.

– To nie jest dobry pomysł – skwitował tata.

Ale zaraz poszli spać. Ja też, marudząc, musiałam pójść do łóżka. W ciągu tygodnia muszę być w łóżku najpóźniej o dziewiątej. Nuda. Tylko w soboty sama decyduję, o której pójdę spać. Uwielbiam to.

Następnego ranka wszyscy zaspaliśmy. Nikt nie usłyszał budzika. Byłam porządnie spóźniona do szkoły, więc mama znowu nie zdążyła się spakować.

– Wyjdę wcześniej z pracy. Wtedy to zrobię – planowała w pośpiechu.

– To nie jest dobry pomysł – powtórzył tata, ale zaraz wybiegliśmy z domu.

Po południu mieliśmy spotkać się w domu, chwycić spakowaną walizkę mamy i pojechać na lotnisko. A na lotnisku miałam zobaczyć samoloty. Wielkie prawdziwe samoloty. To był superplan! Franek i Flora pękną z zazdrości! I cały Klub Superdziewczyn z Anielą na czele. Po południu, gdy wróciliśmy z tatą do domu, okazało się, że mama nadal nie jest spakowana. Stała przed wielką górą rzeczy, które kłębiły się na podłodze, i usiłowała wepchnąć je do walizki. Czarne buty na wysokim obcasie. Granatowe sandały z paskiem. Dwie sukienki. Dwie marynarki. Parasolkę. Cztery grubaśne książki. Kosmetyczkę wypchaną jak pysk Czekolady, kiedy podjada ze stołu.

 – Nic mi się nie mieści! – piszczała, krążąc nerwowo wokół walizki. – A muszę jeszcze zabrać buty do biegania.

– W Londynie leje jak z cebra, to naprawdę zbyteczne – mruknął tata.

Mama spojrzała na niego z wyrzutem, a z jej oczu posypały się prawdziwe pioruny.

– Na pewno się wypogodzi i pobiegam w Hyde Parku – odpowiedziała.

– Może będzie globalne ocieplenie? – wtrąciłam. – Wczoraj pan ekolog mówił nam, że świat się ociepla.

– Emka, globalne ocieplenie nie ma wpływu na deszcz w Londynie i wielkość walizki twojej mamy – odrzekł tata i schował nos w książce.

Mama znowu zgromiła go wzrokiem.

– Dziewięćdziesiąt minut do odlotu – oświadczył zrezygnowany. – Osiemdziesiąt minut do odlotu – powtórzył za parę minut.

Mama stała już na baczność przed drzwiami. Z zieloną walizką, czarną teczką, która się nie dopinała, i wielką torbą na ramieniu. Ja stałam obok. Byłam podekscytowana. Ja, szefowa Tajnego Klubu Superdziewczyn, miałam za chwilę oglądać samoloty. Nie mogłam się już doczekać. Aniela będzie mi zazdrościć! Alan też!

Wybiegliśmy pędem z domu. Nareszcie! Na czele podążał tata. Z zieloną walizką i czarną niedopiętą torbą. Za nim ja. Na końcu leciała mama w szpilkach i eleganckim płaszczu. Dźwigała ostatnią torbę i krzyczała, żebyśmy zwolnili, bo połamie sobie nogi. Wpakowaliśmy się do samochodu i z piskiem opon wyjechaliśmy z garażu. Nie ujechaliśmy jednak daleko, bowiem przy parku, zaraz przed wielką ulicą, która prowadzi na lotnisko, wpadliśmy w ogromny korek. Samochody trąbiły. Kierowcy krzyczeli na siebie.

– Kuba! – zawołała mama. – Zawracamy. Tędy nie przejedziemy przez najbliższe pół godziny. Spóźnię się!

– Wcale mnie to nie dziwi. Są godziny popołudniowego szczytu – surowo odpowiedział tata, ale posłusznie zawrócił. Nacisnął gaz i ruszył z piskiem opon. Jak ci kierowcy z Formuły 1. Ale nas trzęsło! O mały włos, a wpadlibyśmy w krzaki.

– Sześćdziesiąt minut do odlotu – oświadczył, kiedy zbliżaliśmy się już do lotniska.

– Och, przestań. Miałam za dużo na głowie – obruszyła się mama.

– Dwie sukienki, dwie pary butów... – bezlitośnie zaczął wyliczać tata.

– ...i dwa komputery – dodałam.

Mama nie była zadowolona. Ja też nie. Bo co się stało? Nie zobaczyłam samolotów! Na lotnisko dojechaliśmy bardzo późno, w dodatku zaczął padać taki deszcz, że nawet nie wysiadłam z samochodu. Mama nie miała wyjścia. Wybiegła z auta w tych strugach – ledwo ją widziałam. Pomachała nam jeszcze, zatrzymując się na chwilę w drzwiach hali odlotów, i zaraz zniknęła.

Nadal lało. I to tak okropnie, jakby ktoś wylewał wiadrami wodę z nieba. Nie tak miało być! Mieliśmy już odjeżdżać, gdy nagle zobaczyłam, że wielkie drzwi, w których zniknęła mama, otwierają się i wynurza się stamtąd tłum ludzi. Biegli. Popychali się. Niektórzy mieli biało-czerwone flagi, a jeszcze inni trzymali w rękach aparaty fotograficzne.

– Tato! Zobacz, ile tu ludzi! – krzyknęłam, pokazując na tłum.

– Pewnie wylądował samolot z Ameryki. Rejs numer 1 z Chicago. Tak witają Polonię – odrzekł spokojnie tata. – Zmiatamy stąd.

– Zaczekajmy chwilę, zobaczmy, co się będzie działo – poprosiłam.

Tata był już dość zniecierpliwiony, bo pstrykał palcami.

– Czy ty robisz dochodzenie? – zapytał.

Wtedy zobaczyłam, że z tłumu wyłania się... profesor Kaganek. We własnej osobie. W głowie po razy kolejny zapaliła mi się czerwona lampka, która ostrzegała: będą się tu dziać dziwne rzeczy. Profesor ubrany był w kraciasty płaszcz, który okrywał go szczelnie od góry do dołu. Na głowie sterczał żółty kapelusz. Pan Kaganek ciągnął za sobą metalową walizę, a do boku przyciskał małą wypchaną torbę z tajemniczym znakiem. Wytężyłam wzrok. Ten dziwny znak to była trupia czaszka! Czerwona lampka w mojej głowie pulsowała jak szalona. Profesor kierował się wprost na nasz samochód. Prawie położyłam się na siedzenie, próbując się ukryć.

– Emi, widzisz coś ciekawego? Chciałbym już wracać – syknął zniecierpliwiony tata.

– Tak? Proszę? Eee... – wyjąkałam, cały czas obserwując profesora Kaganka.

– Emi! Cóż za zbieg okoliczności! – wrzasnął nagle tata. – Nasza drużyna narodowa! Popatrz, są wszyscy! Nasi piłkarze!

Nic nie widziałam, bo przecież musiałam się kryć. Dla niepoznaki udałam jednak, że jasne, widzę drużynę. Wydałam z siebie nawet przeciągły gwizd:

– Fiu! Fiuuu!

– Polska, biało-czerwoni! – zawtórował tata.

Miałam go z głowy. I dobrze! Sytuacja stawała się bowiem poważna.

Profesor Kaganek zaczął krążyć niebezpiecznie blisko naszego auta, a ja obserwowałam z zapałem rozwój wydarzeń. Nagle podbiegła do niego jakaś pani z rozwianymi włosami.

Miała na sobie żółty płaszcz przeciwdeszczowy tego samego koloru co kapelusz profesora. Bardzo dziwne. Wymachiwała rękami i wskazywała na budynek, który stał po przeciwnej stronie lotniska. Popatrzyłam w tamtym kierunku: nad wejściem świecił się neon z wielkimi literami „Hotel Lux". Tymczasem pani w żółtym płaszczu zdążyła wyrwać profesorowi z rąk walizkę i ciągnęła je teraz w kierunku hotelu.

Chwilę później pojawił się przy nich jakiś łysy gruby człowieczek, w czarnym płaszczu aż do ziemi i okularach przeciwsłonecznych.

„Dziwne. Po co mu okulary? Przecież leje jak z cebra!" – pomyślałam.

Teraz to człowieczek wyrwał pani z rozwianymi włosami walizkę i cała trójka ruszyła do głównego wejścia hotelu. Wtedy straciłam ich z oczu. Bardzo dziwna grupka. Nagle usłyszałam pukanie, które szybko zmieniło się w stukanie, a potem w walenie! Aż podskoczyłam z wrażenia. Do naszego samochodu dobijał się policjant.

– Tato, policja! – wrzasnęłam.

Tata jak zahipnotyzowany wpatrywał się w naszą reprezentację, która formowała szyk przed drzwiami lotniska.

– Witam. – Policjant grzecznie się ukłonił, kiedy tata wreszcie uchylił szybę.

– Parkujecie w niedozwolonym miejscu i utrudniacie przejazd – oświadczył.

– Och tak, tak... Ale sam pan rozumie, odwoziłem żonę na samolot do Londynu, a tutaj nagle drużyna narodowa. Nie mogłem przegapić takiej okazji! – Tata zaśmiał się nerwowo.

– Ta okazja będzie pana za chwilę drogo kosztowała. Obserwuję was od trzydziestu minut. Za parkowanie w tym miejscu należy się mandat – grzmiał policjant.

– Ale... bardzo proszę... Zobaczymy tylko powitanie naszej drużyny narodowej – błagalnie wyjęczał tata.

– Proszę oglądać to w telewizji! – Policjant był nieugięty. – Na komisariacie też mamy odbiornik.

– Już dobrze, dobrze. Odjeżdżamy – oświadczył tata i ruszył spod lotniska.

Ja w tym czasie zdążyłam wyciągnąć mój tajny dziennik i zapisać: Kaganek. Sprawa na lotnisku. Hotel Lux. Trupia czaszka.

Moja czerwona lampka szalała.

– Co można przewozić w torbie z trupią czaszką? – Byłam tak zaaferowana, że zadałam to pytanie na głos.

– Truciznę – spokojnie odpowiedział tata.

Wiedziałam! Profesor ukrywał jakąś tajemnicę. Tym razem jednak w porę ugryzłam się w język i nawet nie pisnęłam. To było dochodzenie Tajnego Klubu Superdziewczyn! Musiałyśmy ruszyć do akcji. Jeszcze się spotkamy, profesorze!

BALET.
PROFESOR ZDEMASKOWANY

Dzisiaj od rana mama ogłaszała, że wieczorem idziemy na balet. Można powiedzieć, że trąbiła! Na lodówce zawisł miniplakat przedstawienia. Już na samą myśl o tym balecie byłam wykończona.

– To piękna interpretacja klasycznej baśni o Kopciuszku – powiedziała mama.

– Inter... co? – Skrzywiłam się. Znowu trudne słowo. Ale nuda!

– Interpretacja to sposób, w jaki chcemy przedstawić swoją wersję utworu. Na przykład książki lub przedstawienia. Kiedy ty grasz na pianinie, też interpretujesz utwory – wyjaśniła mama z nosem w gazecie.

– Aha. Nie cierpię inter... hm... no, interpretować na pianinie – odpowiedziałam, cedząc słowa.

Spojrzała na mnie, robiąc jedną z tych swoich bardzo groźnych min.

– Czy mogę prosić o chwilę ciszy? Czytam poważny artykuł. Bardzo poważny naukowy artykuł.

– Nuda. – Wzruszyłam ramionami i poczłapałam do swojego pokoju. Nie miałam na dziś żadnych planów. Fau była na sobotnich ćwiczeniach gry na harfie, a w okolicy nie było nikogo innego, z kim mogłabym pogadać. Ech, człowiek jest całkiem sam... Słońce grzało okropnie i nie dało się wytrzymać na podwórku. Wszyscy schowali się w swoich zacienionych mieszkaniach. Grzebałam w zabawkach, kiedy nagle usłyszałam dzwonek do drzwi. Podbiegłam jak mogłam najszybciej. Coś zaczynało się dziać.

– Kogo tu niesie? – zamruczała mama i niechętnie oderwała się od gazety. Otworzyła drzwi. Z klatki schodowej wpadli do naszego rozgrzanego mieszkania przyjemny chłód oraz rudowłosy chłopiec w czerwonej bluzce.

– Kto to? – zapytała mama, patrząc na mnie podejrzliwie.

Wzruszyłam ramionami.

– Tu domowa wypożyczalnia „Fiolka i filmowa rolka" – wyrecytował chłopiec i zaczął rozkładać towar.

Spojrzałam na mamę, a mama popatrzyła na mnie. Jej oczy były okrągłe ze zdziwienia. Pod naszymi nogami prześlizgnął się kot i parskając na boki, pobiegł w głąb mieszkania.

– Znam cię – powiedziałam, uważnie spoglądając na rudzielca. – Ty jesteś Felek, brat Fau.

– Felek, właściciel domowej wypożyczalni filmów i gier „Fiolka i filmowa rolka". – Chłopiec ukłonił się nisko.

– A co masz? – Z zaciekawieniem zajrzałam do wielkiej torby, którą postawił przed sobą.

– Zanim przejdziecie do interesów, proszę, zabierzcie z domu tego kota – powiedziała zrezygnowanym głosem mama.

– Kot jest niegroźny – odrzekł Felek. – To Fiolka z podwórka, proszę pani.

– Czy była szczepiona? – Mama zmarszczyła czoło.

– Nie ma mowy, proszę pani – odpowiedział rzeczowo Felek. – Fiolka mieszka w ogródku. Jest bezdomna.

Mama przewróciła bezradnie oczami, a ja nadal grzebałam w torbie rudego.

– Najlepszy sposób na nudę to filmy od „Fiolki i filmowej rolki" – zachwalał Felek.

– Wezmę *Epokę lodowcową* – zadecydowałam.

– Pięć złotych – oznajmił Felek.

– Mamo, potrzebuję pięciu złotych – krzyknęłam w głąb mieszkania.

– Pięć złotych? – Mama była wyraźnie zaskoczona. – To jak w wypożyczalni za rogiem.

– *Epoka lodowcowa* to towar deficytowy – odparł pewnym głosem Felek.

– Odbieram ci z kieszonkowego – oznajmiła mama, wręczając mi piątkę. Trzymałam już w rękach film i byłam bardzo, ale to bardzo podekscytowana.

– Oddajesz o czwartej po południu – zaznaczył Felek, chowając monetę do brzęczącego woreczka.

– To mniej niż dwadzieścia cztery godziny. Tak wypożyczają za rogiem – zauważyła mama.

– Zgadza się. Proszę pamiętać, że *Epoka* to towar deficytowy, proszę pani – powtórzył rudzielec.

– Czy twoi rodzice, chłopcze, wiedzą, że prowadzisz obnośną wypożyczalnię? – zainteresowała się mama.

– Moja mama mówi, że powinienem być przedsiębiorczy. Proszę, niech pani potrzyma mój zeszyt. Muszę wpisać Emi – wyjaśnił, a mama zrobiła jeszcze większe oczy. – Często nie oddają – wytłumaczył. – Jeśli Emi się spóźni i nie odda do czwartej, to za każdą godzinę pobieram pięćdziesiąt groszy. Do widzenia, proszę pani. Emi, miłego seansu!

Zanim zatrzasnął za sobą drzwi, Fiolka skoczyła w jego kierunku, parskając na wszystkie strony. I tyle ich widziałyśmy.

– Świat się kończy – powiedziała mama w zatroskaniu i wróciła do lektury poważnego naukowego artykułu.

– Włącz mi film – poprosiłam.

– Taki piękny dzień. Słońce jak na Karaibach, a ty chcesz go spędzić na oglądaniu filmów? Trzeba oddychać już prawie letnim powietrzem – powiedziała mama.

– Rozpływam się w tym upale – poskarżyłam się. – Zobacz, na dworze nie ma żadnych dzieciaków. Nuda! Obejrzę sobie *Epokę lodowcową*, to może się ochłodzę. Wiesz, w tym filmie wszystko dzieje się na lodowcu – wyjaśniłam.

Mama, mrucząc z niezadowolenia, włączyła mi film. Poczułam, jakby do pomieszczenia wtargnęła fala zimna. Miałam prawie dwie godziny spokoju i mroźnej atmosfery. Serio. Mama odezwała się do mnie dopiero przy obiedzie.

– Lody dla ochłody. Chyba że lodowiec zmroził cię tak bardzo, że nie masz apetytu. – Uśmiechnęła się złośliwie.

Uwielbiam lody!

– Ależ skąd – zareagowałam natychmiast. – *Epoka lodowcowa* i lody to wszystko, czego dzisiaj potrzebuję – dodałam i zmrużyłam oczy jak Fiolka.

– Masz szczęście. Zaopatrzyłam lodówkę w porządną porcję sorbetów.

– Jesteś mega! – pochwaliłam ją.

Mama uniosła wysoko brwi. Raczej nie była zadowolona z mojej pochwały. Dziwne.

– Tata ma dobrze. Buduje nowy dom. Nad jeziorem. A w przerwach siedzi sobie na trawie albo pluska się w wodzie. – Westchnęła.

– A my się smażymy – dokończyłam i poczłapałam do swojego pokoju.

Nie ma sprawiedliwości na tym świecie…

Prawdę mówiąc, byłam całkiem zadowolona. Mogłam sobie spokojnie posiedzieć, nie robiąc zupełnie nic. W końcu była sobota.

Dokładnie za pięć czwarta wpadł do nas Felek.

– Zabieram *Epokę* – zawołał od progu. – Mam już na nią chętnych. W przyszłym tygodniu będzie świeża filmowa dostawa.

– Mega! – odpowiedziałam i zamknęłam za nim szczelnie drzwi.

Miły jest ten Felek i fajnie, że akurat dzisiaj trafiła się *Epoka lodowcowa*, ale trochę za bardzo hałasuje.

– Emi, balet zaczyna się już za dwie godziny, a jeszcze musimy odebrać bilety. Wskakujemy w kreacje – zarządziła mama.

„Nuda" – pomyślałam, ale grzecznie wcisnęłam się w sukienkę, którą mi przygotowała.

Sukienka oczywiście była bez guzików. Dni guzikowców dozwolone są dwa razy w tygodniu i limit na ten tydzień został już wyczerpany.

Spojrzałam na swoje odbicie w lustrze.

– Wyglądam jak beza – oznajmiłam z westchnieniem.

Sukienka miała pod spódnicą grubaśną podszewkę z tiulu i sterczała na boki.

– Jeśli z kremem, to schrupię z przyjemnością. – Mama się roześmiała.

– Smacznego! – poddałam się.

Do teatru dotarłyśmy wcześniej, niż było zaplanowane. Mimo to przy kasie czekały już na nas pani Laura i Flora.

Flora ze skwaszoną miną, rzecz jasna. Nie do wiary. W błękitnej falbaniastej sukience też wyglądała jak wielka beza!

– Sterczymy tu od dwudziestu minut – zwierzyła mi się na ucho. – Nie cierpię tej sukienki.

– Justysiu, jesteście! Wspaniały wieczór przed nami! – Pani Zwiędły uścisnęła najpierw mnie, a potem rzuciła się na mamę.

Mama odebrała z kasy dwa żółciutkie bilety z napisem „Opera Narodowa – Kopciuszek". Wręczyła mi ten z nadrukiem „Wolne miejsce".

– Co to znaczy? Nie ma dla mnie miejsca? – zainteresowałam się, ciesząc się w duchu, że może zostanę na korytarzu.

– Zdarza się, że nie wszyscy przychodzą na spektakl, chociaż bilety są wyprzedane. Jeśli obok mnie będzie miejsce, którego nikt nie zajmie, wtedy tam usiądziesz – wytłumaczyła mi.

– A jeśli wszyscy przyjdą? – pytałam dalej w nadziei, że jednak wolnego miejsca nie będzie.

– No cóż. Będziesz siedziała u mnie na kolanach – odpowiedziała.

Przewróciłam oczami.

– My mamy miejsca w pierwszym rzędzie – pożaliła się Flora. – Kiedy orkiestra zacznie grać, na pewno ogłuchnę.

– Ależ, Florciu! To są najlepsze miejsca! – próbowała ją pocieszyć pani Laura. – Zwiędły zarezerwował je na początku sezonu – wyjaśniła mamie.

Flora wzruszyła ramionami i zaczęła nadawać:

– Nie nazywaj mnie Florcią. Przypomina mi się Florek z zerówki. A ja nim nie jestem! Jestem Flo.

Potem poszłyśmy do szatni po poduszki dla dzieci. Uszyte są z prawdziwego aksamitu i można je położyć na krześle. Wtedy wszystkie dzieciaki siedzą wyżej i widzą całą scenę. O ile, rzecz jasna, mają w ogóle miejsce!

Nagle usłyszałyśmy dzwonek.

– Jak w szkole! – zauważyła z niesmakiem Flora i zatkała sobie uszy.

– Och, dziewczyny, pierwszy dzwonek! Lecę jeszcze po małą kawkę! Głowa mi pęka! – krzyknęła w naszym kierunku pani Laura i pobiegła przed siebie. Biegła tak szybko, że po drodze zgubiła but.

Flora westchnęła i pokręciła głową.

– Kopciuszek.

Zrezygnowane, usiadłyśmy na miękkim pufie pod olbrzymim lustrem.

– Fe, brudne to lustro – oburzyła się Flora. – Nikt tu nie sprząta?

– To stare lustro, panienko. Tak stare, że panienki nie było jeszcze na świecie – oburzonym głosem wyjaśniła pani w wiśniowym mundurze, która sprzedawała programy na przedstawienie.

– Zobaczcie, jaką ma piękną oprawę – zawtórowała jej mama. – Srebro. Nie można go już doczyścić. Wszystkie meble i przedmioty, które tu widzicie, są zabytkowe. Niektóre mogą mieć nawet sto lat! Jesteśmy w Operze Narodowej, która powstała prawie dwieście lat temu – dodała.

Pani pokiwała z zadowoleniem głową.

– Myślałam, że tylko wampiry mogą mieć tyle lat... – zauważyła Flora, zerkając na panią w mundurze, lecz zagłuszył ją drugi dzwonek. Dostałoby się nam od mamy! Nie wiem, jak Flora, ale ja na pewno straciłabym deser.

– Idziemy zająć miejsca. W tej sali mieści się ponad tysiąc osób. Uważajcie, aby nie zginąć w tłumie – zaznaczyła mama.

Wstałyśmy, a ona starannie wyprostowała nam sukienki.

– Bezy-bliźniaczki! – Szturchnęłam Florę.

– Taki gmach zobowiązuje do elegancji, moje bezowe damy – zaznaczyła mama.

Śmiałyśmy się jak szalone, aż zgromadzeni na korytarzu widzowie zaczęli nam się przyglądać podejrzliwie.

– Dziewczyny, ledwo udało mi się kupić kawę. Taki tłok! – Pani Laura pędziła przez korytarz z filiżanką kawy, którą trzymała przed sobą. Wyglądała jak ci czarnoskórzy biegacze, którzy przekazują sobie pałeczkę. Ale pani Zwiędły nie przekazywała nikomu pałeczki, tylko, przystając co krok, upijała łyczek za łyczkiem.

Flora i ja nie czekałyśmy dłużej. Wpadłyśmy na salę, gdzie za chwilę miało się rozpocząć przedstawienie. Była olbrzymia!

– Popatrz, jaki czadowy sufit! – Flora stanęła jak wryta i zadarła do góry głowę.

Spojrzałam wysoko. Na suficie zobaczyłam złote malowidła: kwiaty, zakrętasy i takie różne.

Światło na sali zaczęło powoli przygasać.

– Do przodu! Proszę nie torować przejścia! – usłyszałam nagle nad uchem i poczułam, że napiera na mnie coś ogromnego. Przylgnęłam do fotela i z ulgą pozbyłam się ciężaru. Okazało się, że ciężarem tym jest potężna pani z wysoko upiętymi lokami. Pruła w kierunku foteli, ciągnąc za sobą pulchną i znudzoną dziewczynkę.

Wtedy rozdzieliłyśmy się: Flora pobiegła do pierwszego rzędu, a ja zostałam w szóstym i tam czekałam na mamę. Zadzwonił trzeci dzwonek. Mama klapnęła obok mnie.

– Miałam cię na oku, ale następnym razem nie odchodź ani na krok – powiedziała. – Zaraz się dowiemy, czy masz miejsce.

Do fotela, który zajęłam, nikt się nie pchał. Położyłam aksamitną poduchę i usadowiłam się wygodnie.

Rozpoczęło się przedstawienie.

Kurtyna się rozsunęła, a orkiestra zaczęła grać. Rozbrzmiały pierwsze akordy. Najpierw instrumenty smyczkowe, potem włączyły się flety i bębny.

– Flora ogłuchnie – szepnęłam do mamy.

– Psst! – usłyszałam. – Psst. Psst!!!

Spojrzałam na nią przestraszona. Butelka wody, którą trzymałam w ręce, upadła z hałasem i potoczyła się pod sąsiedni fotel. Wielkie plecy siedzące przede mną odwróciły się i zobaczyłam przed sobą znajomą twarz pani z lokami.

Pochyliła się nade mną i syknęła ponownie:

– Pssssssttttt!

„O co jej chodzi?" – pomyślałam i na wszelki wypadek przytuliłam się do mamy.

Zaczęło się coś dziać.

Dwie dziewczyny w o wiele za dużych butach przechadzały się po scenie, potykając się co chwila.

– Kto to jest? – zapytałam mamę. – I dlaczego mają za duże buty? A może to *Kot w butach*?

Pani Wielkie Plecy z Lokiem syknęła ponownie. Jeszcze głośniej.

Mama ścisnęła mnie za rękę.

– To macocha i siostra Kopciuszka. Musimy zachowywać się trochę ciszej – powiedziała mi prosto do ucha.

– Jasne. – Tym razem byłam zgodna.

Przedstawienie trwało dalej.

Na scenę wpadł Kopciuszek w poszarpanej sukience i zatańczył wokół kominka. Potem pojawiła się wróżka i stało się jasne – na królewskim zamku odbędzie się bal. Zapanowała cisza. Następnie odezwały się flety, a za chwilę dołączyły do nich skrzypce. Kopciuszek odtańczył wzruszający taniec, żaląc się, że nie pójdzie na bal, bo przecież nie ma sukni ani karocy.

Nagle w rzędzie pani Wielkie Plecy z Lokiem nastąpiło poruszenie. Z jego końca przedzierała się dziewczynka w białej sukience. Była okrągła jak bułka, a blond loki sterczały z jej głowy jak z miotły Kopciuszka. Dopadła pani Wielkie Plecy z Lokiem i usadowiła się na jej kolanach, hałasując przy tym okropnie.

Cały rząd zaczął sykać w ich kierunku.

– Jak Kuba Bogu, tak Bóg Kubie – szepnęła do mnie mama.

Mega jest!

Potem był dzwonek na przerwę.

Najpierw poszłyśmy zajrzeć do orkiestry, która mieściła się poniżej sceny. Zobaczyłam te wszystkie instrumenty, które grały. Nawet wielkie bębny! I gong! Była też harfa. Stała dumnie na podeście i mieniła się w światłach, które padały na scenę. Faustyna na pewno by się ucieszyła.

Wtedy w moim brzuchu też zagrała orkiestra.

– Mamo, jestem okropnie głodna – powiedziałam. – Po prostu umieram z głodu.

– Jasne. – Mama się skrzywiła. – Kiedy wychodzimy z domu, w twoim żołądku włącza się ssanie. Wyobraź sobie teraz, ile tu jest ludzi i jakie są kolejki po maleńkie ciasteczko.

– Ale w moim brzuchu gra orkiestra! – wrzasnęłam. – Teraz są bębny! – Spojrzałam na nią błagalnie i wyciągnęłam asa z rękawa: – Ty możesz na mnie

liczyć, kiedy jesteś głodna. Zawsze walczę, żeby z pod-
wieczorków zostawały dla ciebie kanapki.

Mama spojrzała na mnie, a jej oczy zrobiły się okrągłe ze zdziwienia.

– Jesteś wiecznym głodomorem, kochanie. Zupełnie jak ja – przyznała.

Posłusznie dołączyłyśmy do długiej kolejki przy
stoisku ze słodyczami.

– Justysiu, nie masz pojęcia, kogo spotkałyśmy! –
W naszym kierunku podążała pani Zwiędły. Za nią
wlokła się Flora. – Jest tu profesor Kaganek... – Pani
Laura zniżyła głos. – Ze swoją asystentką – dodała, podkreślając ostatnie słowo.

– Tak? – Mama nie wydawała się tym specjalnie za-
interesowana.

W tej chwili zobaczyłam, że zbliża się do nas Franek i wymachuje rękami na wszystkie strony. Jego strój
był z tej samej serii co nasze bezowe sukienki – gra-
natowy garnitur w białe paski i błyszczące lakierowa-
ne buty. Ale nuda!

– Dzień dobry paniom. – Ukłonił się zamaszyście
i wypalił: – Jak się paniom podoba *Kopciuszek* w inter-
pretacji Prokofiewa?

– Mega – odpowiedziałam znudzona. Jak tylko się
upewniłam, że mama nie widzi, pokazałam mu język.
Fajnie, że wszystko wie, ale czy musi być taką mądra-
lą? I o co chodzi z tym Proko-coś-tam?

– Autor tego baletu, Siergiej Prokofiew, to niezwykle interesujący artysta, Franku – odrzekła mama, mrugając do mnie. – A najlepsze jeszcze przed nami.

No tak. Mama była z Frankiem w jednej paczce. Oboje wiedzieli wszystko!

– Mamy towarzystwo – oświadczyła pani Laura, szturchając mamę, i poprawiła fryzurę. Z tłumu wyłonił się profesor Kaganek, za nim pojawili się człowieczek w ciemnych okularach i dziewczyna na bardzo wysokich obcasach! Lampka w mojej głowie zapaliła się i tliła nerwowo.

„To ekipa z lotniska" – przypomniałam sobie i syknęłam w kierunku Flory:

– To oni! Banda od teczki z trupią czaszką z lotniska!

– Ale to przecież tata Franka… – Flora była wyraźnie zdziwiona.

– Musimy się ukryć. Coś tu nie pasuje – dodałam i wciągnęłam Florę za schowek ze słodyczami. Szeroka spódnica pani Zwiędły zakryła nas zupełnie. Mogłyśmy obserwować wydarzenia z naszej sprytnej kryjówki.

– Zwariowałaś? – warknęła Flora, ale uciszyłam ją, wskazując na profesora.

– Franku! Poszukujemy cię od dobrych kilku minut – odezwał się profesor do Franka. – Amelia kupiła ciastka, a Eugeniusz cudem zdobył program spektaklu.

Chcemy się dowiedzieć wszystkiego o obsadzie. Ciekawi jesteśmy, kto stoi za tak oryginalną scenografią.

– Och, profesorze. Pozwólmy Frankowi i dziewczętom na odrobinę zabawy. – To mama Flo.

Prawie nas zdemaskowała!

– Właśnie! Gdzie zniknęły dziewczyny? – zainteresowała się nagle mama.

Franek znowu zaczął się wymądrzać:

– Na wielkich teatralnych spektaklach przebywa jednocześnie ponad tysiąc pięćset osób!

– Tak, tak, wiem, Franku. – Mama była wyraźnie zdenerwowana. – To akurat nie jest dobra wiadomość. Zastanówmy się lepiej, gdzie ich szukać.

Flora uścisnęła mnie za rękę i zapytała:

– Może jednak powinnyśmy wyjść?

– Musimy śledzić profesora i jego ekipę – syknęłam jej do ucha i siłą zatrzymałam ją w kryjówce. – O nic nie pytaj. Wszystko ci wyjaśnię.

Nasze mamy w tym czasie już organizowały akcję.

– Uwaga! Zarządzamy poszukiwania! – oznajmiła pani Laura. – Profesorze, proszę iść w kierunku swojej loży i uważnie obserwować. Jeśli natknie się pan na dziewczęta, proszę dzwonić.

– My szukamy na parterze – włączyła się mama.

Stało się jasne, że musimy natychmiast zmienić kryjówkę. Cofnęłyśmy się głębiej i wpadłyśmy wprost do schowka ze słodyczami.

– Ile tu ciastek. Ile pysznych czekoladek i delicji – rozmarzyła się Flo, oblizując się na widok kolorowych paczek poukładanych równo na półkach.

– Za profesorem! – zakomenderowałam i już nas nie było wśród tych smakołyków. Flora tylko westchnęła w biegu.

Grupa z profesorem na czele zdążyła się już oddalić. Widziałam tylko jasne włosy dziewczyny falujące ponad tłumem. Pobiegłyśmy w ślad za nimi, ukrywając się za kolumnami, gęsto przecinającymi korytarz. Kaganek szedł przodem i rozglądał się nieustannie wokół. Za nim podążała blond asystentka. Na końcu wlekli się Franek i człowieczek, który nerwowo patrzył na boki.

Weszli na schody. Ścisnęłam Florę za rękę. Będzie nam ciężko – na schodach nie ma jak się ukryć.

– Idą na ostatnie piętro – stwierdziła Flora. – Zostańmy przy balustradzie. Gdy znikną za rogiem, wtedy ich dopadniemy.

Kiedy dotarłyśmy na piętro, drzwi loży numer siedem właśnie się zamykały. Zakradłyśmy się na prowadzące do niej schodki. Panował tu półmrok, a cień wnęki idealnie nas maskował.

– To koniec – stwierdziłam rozpaczliwie. – Nici z naszego śledztwa.

Flora się nie poddawała. Nacisnęła delikatnie klamkę i wsunęła pomiędzy drzwi a futrynę zwinięte w rolkę opakowanie po paluszkach. W drzwiach powstała szczelina. To był doskonały manewr, dzięki któremu mogłabym zapisać Flo do Tajnego Klubu.

Nadstawiłyśmy uszu.

– Nanonauka to nasza przyszłość – mówił profesor.

– Absolutnie niezwykłe – włączył się kobiecy głos. – To rewolucja! Nanonauka będzie naśladowała naturę.

– Ciszej! Wywiad nie śpi. – To musiał być ten mały.

– Nuda! Przecież nawet dzieciaki nie uwierzą, że to ma sens. – Czyżby to był Franek?

– To odkrycie daje nam wielkie możliwości – znowu odezwał się profesor. – Pamiętajmy jednak: nasze koncepcje są zagrożone. Już na lotnisku byłem szpiegowany.

Spojrzałyśmy na siebie porozumiewawczo. Czyżby mnie wtedy zauważył?

– To cenne, ale i niebezpieczne odkrycie – kontynuował Kaganek. – Może być zagrożeniem dla ludzkości. A teraz omówmy wybuchy wulkanów, które zademonstrujemy już wkrótce.

Wybuchy wulkanów? Ostatnio, kiedy mama wybierała się w podróż służbową i miała mi przywieźć nowe zabawki, odwołano jej samolot. W Islandii wybuchł wulkan. Tata mówił potem, że pył, który powstał po wybuchu, sparaliżował całe niebo. I nie dostałam przez to nowych zabawek!

Czy oni za tym stali? Tego już za wiele! Z wrażenia upuściłam torebkę, która uderzyła w drzwi i potoczyła się do środka loży.

– Uciekajmy! – wrzasnęła Flora.

Nagle, jakby na komendę, z dwóch stron korytarza ruszyły do nas dwie panie w wiśniowych mundurach. Były jak rozjuszone byki. Jedna z nich chwyciła Florę za ucho i pociągnęła w kierunku schodów.

– Ja ci dam podsłuchiwać kulturalnych ludzi! – krzyczała.

Ale Flora zwinnie wyrwała jej się z rąk, uchwyciła się mojego swetra i już nas nie było!

Wtedy właśnie zadzwonił dzwonek, a my szybko wmieszałyśmy się w tłum i pobiegłyśmy w kierunku miejsc na parterze. Nasze mamy stały w otoczeniu wiśniowych mundurów, identycznych do tych, jakie miały na sobie prześladujące nas strażniczki. Wszyscy wymachiwali rękami i rozmawiali o czymś głośno.

– Niedobrze – syknęła Flora. Nagle złapała się za brzuch.

– Boli cię? – zapytałam przestraszona.

– Nie – uciszyła mnie. – To nasza strategia obronna.

Poszłyśmy w kierunku rozkrzyczanej grupy. Flora udawała zbolałą, a ja podtrzymywałam ją pod rękę.

Pani Zwiędły gestykulowała, a mama trzymała się za głowę.

– Mamo! – zawołałam z oddali.

– O, proszę – odezwał się pan z brodą. – Mówiłem, że zwykle się znajdują. – I zwrócił się do nas: – Pewnie tańczyłyście w sali balowej na ostatnim piętrze? – A puszczając oko do mamy, dodał: – Wszystkie tak robią.

– Brzuch mnie rozbolał – wystękała Flora ze skwaszoną miną.

– Och, Florciu! Za dużo słodyczy! – Pani Laura chwyciła ją za ręce. – Całe szczęście, że już jesteście.

Mama tylko pogroziła mi palcem.

– Porozmawiamy w domu – powiedziała.

Czyżby wszystkiego się domyślała? Trudno. Najwyżej stracę deser. Dochodzenia wymagają poświęceń. Lampka w mojej głowie buzowała już jak szalona, a ja rozwiązywałam najważniejsze zadanie od czasu założenia Tajnego Klubu Superdziewczyn – sprawę profesora Kaganka i jego ekipy. Musiałam przedstawić ten temat w Klubie. Profesor i jego ludzie knuli spisek. Przypuszczałam, że mogą być niebezpieczni.

Wybuchy wulkanów to pewnie ich sprawka. Na dodatek mieli moją torebkę z króliczkiem!

Spektakl trwał jeszcze godzinę. Książę oczywiście odnalazł Kopciuszka i zgrabnie wcisnął mu pantofelek na stópkę. Potem odbył się ślub, a macocha i przyrodnia siostra zamieszkały wraz z młodą parą na zamku. Wszyscy żyli długo i szczęśliwie.

Uff.

Kiedy dzwonek ogłosił koniec przedstawienia, wyskoczyłam na korytarz tak szybko, że mama z trudem mnie dogoniła.

– Dokąd, moja panno? – zapytała zdyszana.

– Umówiłam się z Flo – odpowiedziałam nie całkiem zgodnie z prawdą.

Na szczęście, pani Laura była w nastroju towarzyskim i zaciągnęła nas do pobliskiej kawiarni.

– Dziewczęta, jestem entuzjastycznie nastawiona do życia! Zapraszam na kawę i wielkie lody!

Oblizałam się na samą myśl o lodach czekoladowych z polewą malinową. Mega!

I wtedy to się stało.

– Wyjaśnij mi, Emi, dlaczego właściwie ścigałyśmy profesora i jego ekipę? – zapytała Flora, kiedy rozsiadła się już wygodnie w fotelu, a mama i pani Laura pogrążyły się w rozmowie.

Nie miałam wyboru. Musiałam jej wyjawić moją tajemnicę.

– Tajny Klub Superdziewczyn prowadzi dochodzenie w sprawie szkodliwości doświadczeń profesora Kaganka – wyrzuciłam z siebie.

Flora zrobiła kocie oczy i wycedziła:

– Nic nie wiem o żadnym tajnym klubie…

– Ależ wiesz. Wyśmiałaś mnie przecież! – odparowałam.

Flora przewróciła oczami i odpowiedziała milutko:

– To było sto lat temu. Ale skoro wciągnęłaś mnie do śledztwa, to chyba zostanę członkiem tego klubu?

Zasępiłam się i oświadczyłam:

– To nie jest takie proste. Są testy. Niełatwo się dostać.

– Testy? – wtrąciła się pani Laura. – Jakie jesteście pilnie, dziewczyny. Ciągle o szkole!

Flora przewróciła oczami i syknęła pod nosem. Miałam ją w garści! Zależało jej na Klubie. Musiała odpuścić z Chudym!

ZIELONA ZERÓWKA. KIM JEST AMELIA?

Do wyjazdu na zieloną zerówkę zostało tylko pięć dni. Czekaliśmy z niecierpliwością, kiedy z plecakami wskoczymy do autokaru, który powiezie nas daleko, i to absolutnie bez rodziców. Mieliśmy spędzić dwie noce za miastem, w Piernikowej Chacie.

Tylko Flo studziła mój zapał i powtarzała:

– Zielona zerówka się nie liczy. Zielona szkoła to jest dopiero coś! Nocne podchody i cały tydzień poza domem.

We wtorek, na trzy dni przed wyjazdem, pani zarządziła zebranie.

– Ogłaszam listę rzeczy, które zabierzecie ze sobą na zieloną zerówkę. – Klasnęła w dłonie i rozdała nam kartki.

– Ale to jest czysta kartka – skomentował Alan, oglądając swoją z obu stron.

– Właśnie tak – potwierdziła pani. – Wszystko zapiszecie sami.

– Uuuu – rozległo się buczenie chłopaków.

– Nie umiecie jeszcze pisać? – zachichotała Aniela.

– Banalne! – skomentowałam.

– Wy, dziewczyny, nie musicie nic zapisywać. – Alan się zaśmiał. – Weźmiecie same kosmetyczki. I te wasze malowidła.

Chłopaki z jego grupy mu zawtórowali.

– Nieprawda! Zabieramy sprzęt! Będziemy robić dochodzenie... – odparowała Aniela i urwała w połowie zdania.

Rozejrzałam się po sali. Wszyscy umilkli i patrzyli teraz na nas ze zdziwieniem.

– Jakie dochodzenie? – zainteresował się Alan.

– Aaaa. Ja... to nic nie wiem... – Aniela zakręciła się na pięcie i uciekła do łazienki.

Wtedy odezwała się Bianka:

– Badamy owady. Chcemy sprawdzić, czy wszędzie można spotkać takie same owady, jakie występują w szkolnym ogrodzie.

Po czym wsadziła głowę do swojego worka i z dumą pokazała coś wyjątkowego.

– Mamy specjalne słoiki, ooo. Ze szkłem powiększającym.

Byłam z niej taka dumna!

– Tak. Będziemy badać owady! – wykrzyknęłam i pomyślałam: „Brawo, Bianka. To świetny pomysł".

Alan wzruszył ramionami.

– Też mi coś. Owady mamy już dawno zbadane, no nie, chłopaki? Nawet pan ekolog to potwierdzi. Nuda!

Bianka zmieniła temat i gadała bez przerwy:

– A tak w ogóle to mój tata mówi, że powinniśmy jechać do spa, a nie do jakiejś chaty. Mielibyśmy basen i superjedzenie. W chacie nad jeziorkiem zjedzą nas komary – dodała.

Wtedy włączyła się pani:

– To nie jest wyjazd do spa. To jest zielona zerówka. Piernikowa Chata gości w ciągu roku mnóstwo dzieci. Będziecie spać na piętrowych łóżkach. Zrobicie sami śniadanie. Zapamiętacie to na długo!

– Będziemy jak skauci! – ucieszył się Michaś.

– Skauci? – zdziwił się Alan.

– Skauci noszą mundury, mieszkają w namiotach i robią same dobre uczynki – wyjaśnił spokojnie Michaś.

„Skąd on to wszystkie wie? – pomyślałam. – Mega. Ale myśl, główko! Nie ustaliłyśmy jeszcze wyposażenia na wyjazd, aby zakończyć dochodzenie w Tajnym Klubie. Aniela zabierze wielką walizkę, która pomieści wszystko".

Zapisałam więc najpotrzebniejsze wyposażenie:

1. Gazetę z artykułem o profesorze Kaganku.

2. Latarkę, jeśli będziemy zmuszone wymknąć się w nocy na zwiady.

3. Szkło powiększające, nie tylko do owadów, hi, hi!

4. Urządzenie do nagrywania, które nazywa się dyktafon (podwędzę je mamie).

5. I oczywiście nasze Tajne Dzienniki.

Wyobraziłam sobie, że już jesteśmy w chacie, a Aniela i ja układamy w kryjówce nasze przyrządy. I nagle usłyszałam nad głową:

– Emilio, twoja lista…

Zobaczyłam nad sobą twarz pani i jej wielkie zdziwione oczy.

– Tak, proszę pani? – zapytałam zdziwiona podobnie jak ona.

– Twoja lista jest hm… bardzo nietypowa – usłyszałam w odpowiedzi.

Jak na komendę zaczęłam ścierać wszystko z kartki i pracować nad legalną listą.

Potem każde z nas pokazało pani swoje zapiski.

Moje wyglądały tak:

1. KREM DO OPALANIA
2. ŚPREJ NA KOMARY
3. CAPKA Z DASKIEM
4. MAJTKI X 3
5. TISZERTY X 2
6. DUUGIE SPODNIE
7. KURTKA PSECIWSESCOWA
8. BUTY DO BIEGANIA
9. DOBRY HUMOR
10. XXX

XXX to był mój tajny szyfr. Ukryłam tutaj wszystkie przedmioty, których potrzebowałyśmy do dochodzenia, a o których nie mógł się nikt dowiedzieć. Nawet nasza pani.

Wreszcie przyszedł ten piątek. Obudziłam się bardzo wcześnie i natychmiast poleciałam do pokoju rodziców (właściwie mamy, tata od tygodnia budował jakiś bardzo ważny dom na końcu Polski. Mama twierdziła, że tam już chodzą białe niedźwiedzie).

– Mamo, wstawaj! Szybko! Spóźnimy się – usiłowałam ją obudzić.

Otworzyła jedno oko, zerknęła na budzik, po czym zamknęła je, opadła na poduszkę i zachrypiała:

– Emi. Nie ma jeszcze szóstej. Śpię. Ty też.

No tak. Umówiłyśmy się wczoraj, że wstajemy o szóstej dwadzieścia. Zostało całe dwadzieścia minut. Też mi problem!

– Ja nie śpię – odpowiedziałam ze spokojem. – Jeśli się spóźnimy, to przez ciebie.

Wróciłam do pokoju. Postanowiłam raz jeszcze bardzo dokładnie sprawdzić walizkę. Nie mogłam o niczym zapomnieć.

Budzik w sypialni wreszcie zadzwonił. Hurra! To już szósta dwadzieścia! Za chwilę wyruszam! Wpadłam do pokoju mamy, walcząc z bluzką, która za nic nie chciała mi przejść przez głowę.

– Szkoda, że wycieczki nie zdarzają się codziennie – oświadczyła mama, ziewając. – Nie miałybyśmy rano problemów z ubieraniem się i ze śniadaniem. Żadnych porannych kłótni i spóźnień.

– Dzisiaj to nie będzie z mojej winy. – Wykrzywiłam się.

I oczywiście miałam rację. Ja zawsze mam rację. Banalne! Dotarłam na zbiórkę ostatnia! No, przedostatnia. Ja, szefowa Tajnego Klubu, przyjechałam spóźniona. Wszystkie dzieciaki tłoczyły się już przed wielkim różowym autobusem. Byłam zła.

– Elegancki pojazd! – pochwaliła mama.

– I bezpieczny! – zapewnił policjant, który właśnie wyszedł z autobusu.

– Melduję – zwrócił się do pani – że autokar jest sprawny i gotowy do drogi.

– Hurra! Wsiadamy. – Chłopaki, przepychając się, już zajmowali miejsca.

– Ostrożnie! – zachrypiała pani. – Parami!

– Zajmą najlepsze. – Bianka westchnęła.

– No dalej, dziewczyny! – zawołała mama. – Muszą wam ustąpić miejsca. To mali dżentelmeni.

Spojrzałam na nią wymownie. Kto tu wie, co znaczy dżentelmen. Tu jest pole walki.

– My się nie ruszamy. Czekamy na Anielę – poinformowałam mamę i dziewczyny. Wypatrywałam Anieli w bocznej uliczce. Właśnie tędy przychodzi zawsze rano do zerówki. Tym razem przyjechała samochodem, który jej tata zaparkował na wprost różowego błyszczącego autokaru.

Wygramoliła się z auta, zabierając ze sobą malutki plecaczek.

– Ups – zmartwiłam się. – Czy tu się mieszczą wszystkie przedmioty do naszego śledztwa?

Ale zaraz pojawił się tata Anieli, a za nim wielka niebieska waliza na kółkach. Zrobiła tak, jak obiecała – miała największą walizkę z całej grupy. Mega! Umierałam z ciekawości, co jest w środku.

– Melduję, że jesteśmy przygotowane do śledztwa – wyszeptała Aniela i rozpoczęła wyliczanie rzeczy, które upchnęła do walizy. Kiedy jednak doszła do jodyny, wykrzywiłam się.

– Po co nam to ohydne żółte świństwo? – zapytałam i wzdrygnęłam się na wspomnienie tego, jak pani pielęgniarka opatrywała mi stłuczone kolano.

– Możemy być ranne, a wtedy pierwsza pomoc będzie niezbędna – oświadczyła Aniela.

Pokiwałam głową ze zrozumieniem. Byłyśmy więc gotowe do wyjazdu. Pani stanęła na stopniach autobusu i dała znak, abyśmy wreszcie załadowały się do środka.

– Dziewczyny! Czekamy już tylko na was.

„W Klubie to rządzę ja!" – pomyślałam i zawołałam: – Wsiadamy!

Pani spojrzała na mnie ze zdziwieniem, ale nie odezwała się ani słowem. Wgramoliłyśmy się do autobusu, który ruszył natychmiast. Rodzice machali nam na pożegnanie, a mama Bianki to nawet płakała! Całkiem jak Bianka.

Kierowca sprytnie przecisnął się przez poranne korki, wyjechał z miasta i powiózł nas przez lasy i łąki. Zatrzymaliśmy się dopiero wtedy, kiedy wszyscy zjedli już swoje drugie śniadanie. Byłam pewna, że czekała nas wielka przygoda.

– Jesteśmy w Mądralinie – poinformowała nas pani i poprosiła, abyśmy spokojnie wysiedli z autokaru.

To nie było takie proste. Ekipa Alana działała dokładnie przeciwnie.

– Chłopaki, robimy sztuczny tłok – zarządził.

Wreszcie wydostaliśmy się na zewnątrz. Było bardzo cicho i bardzo zielono, nie pędziły samochody, śpiewały ptaki i w ogóle było tak spokojnie. Zupełnie inaczej niż w mieście. Przed nami rozpościerały się tylko łąki i pola, które ciągnęły się daleko, daleko, aż do lasu.

Za kamiennym murem, przy którym zaparkował autobus, w wielkim ogrodzie stały dwa domy. Biały błyszczał z oddali i wyglądał tak, jakby mieszkała w nim księżniczka. Miał piękną werandę całą ze szkła, którą oplatały róże. Brązowy nie był taki elegancki, stał wśród drzew i dzikich pnączy. Ten brązowy dom spodobał się nam wszystkim.

– To właśnie Piernikowa Chata – potwierdziła pani.

– To… to… jak tajemniczy ogród! – wykrztusiłam onieśmielona. – Mega!

– Tak… – dodała Bianka. – To lepsze niż spa.

Nawet ekipa Alana zamilkła. Chłopaki rozglądali się dookoła zaciekawieni.

Obładowani walizkami i plecakami, dotarliśmy wreszcie przed sam dom. Ustawiliśmy się w rzędzie i kolejno odliczaliśmy:

– Jeden, dwa… pięć… czternaście…

– Dalej! Jak to czternaście? – Pani zbladła i przeliczała nas nerwowo. – Gdzie jest piętnasta osoba? Kto się zgubił?

Aniela trąciła mnie w ramię.

– Sprawa dla Tajnego Klubu – wyszeptała. – My sprawdzimy, proszę pani! – wykrzyknęła ochoczo.

Chwyciłyśmy się za ręce: Bianka, Aniela i ja, i zanim pani zdążyła cokolwiek powiedzieć, pobiegłyśmy na poszukiwania. Przedzierałyśmy się przez gąszcze i krzaki, tak ostre, że rozdarłam sobie rękaw od bluzy i od łokcia zwisały mi strzępy.

– Stop! – krzyknęła nagle Aniela, kiedy znalazłyśmy się w ogrodzie na tyłach białego domu.

Za werandą, wśród krzewów gęsto porastających wejście, ktoś siedział…

– Przecież to Michaś! Znalazłyśmy go! Piętnasta osoba to Michaś! – zawołała Bianka.

– To ja – przyznał Michaś, poprawiając niezdarnie plecak, na którym przycupnął.

– Dlaczego się odłączyłeś? – zapytałam podejrzliwie. – Wszyscy ciebie szukają.

– Chyba nie pasuję do was. Ani do paczki Alana – odparł Michaś. – Wszyscy się ze mnie nabijają.

Spojrzałam na niego bezradnie. A Bianka powiedziała:

– To ja powiem wszystko tacie. Już on to załatwi.

– Powiedz pani. Będzie szybciej. Twój tata został w mieście – ostudziła jej zapał Aniela. – Albo ja to zrobię.

– Ale czy ja jestem gumowe ucho? – Michaś spuścił głowę.

– No, nie jesteś… – pocieszała go Aniela, po czym oświadczyła: – Jak chcesz, możesz być w naszej paczce.

Spojrzałam na nią uważnie – często mówiła o Michasiu. Chyba za często… I odezwałam się:

– Daj spokój, Aniela. Michaś w dziewczyńskiej paczce to dopiero wstyd.

– Żadnego chłopaka w Klubie! – uparła się Bianka, a Aniela zaczerwieniła się aż po uszy.

Kiedy dołączyliśmy do grupy, pani się ucieszyła.

– Nasza zguba! Dobrze, że jesteś, Michasiu. A teraz wszyscy do mnie – mam ważne ogłoszenie.

Aniela, ukryta za jej plecami, pogroziła Alanowi pięścią. Alan wysunął język. Wielki jak łopata. Brrr. Bianka i ja też pokazałyśmy mu języki. Przecież zgodnie z zasadami Tajnego Klubu Superdziewczyn jesteśmy solidarne.

– Dzieciaki, równamy w rzędzie. Za chwilę pójdziecie odłożyć bagaże. Kiedy usłyszycie gong, wracacie pod stare drzewo – oznajmiła pani. – Ale zanim się rozejdziecie, chcę wam kogoś przedstawić. Na zieloną zerówkę zaprosiłam naukowców, którzy prowadzą wykłady dla dzieci „Nauka do drzwi puka". Wspólnie z doktor Amelią przeprowadzicie prawdziwe doświadczenia – dodała.

Zza drzewa wyłoniła się wysoka pani w krótkiej kraciastej sukience i białych tenisówkach. Na głowie miała żółtą chustkę.

– Dzień dobry, dzieciaki – przywitała się. – Jestem Amelia. Ja i docent Eugeniusz Krawat asystujemy światowej sławy profesorowi fizyki Ferdynandowi Kagankowi.

No nie wierzyłam własnym oczom.

Czerwona lampka w mojej głowie zapaliła się na znak ostrzeżenia i szybko rozżarzyła się na maksa. Przetarłam oczy ze zdziwienia. To przecież była paczka z lotniska i z teatru! Asystentka z rozwianymi włosami i mały człowieczek. Brakowało tylko profesora.

„Czego tutaj chcą?" – pomyślałam w panice.

– Weźmiecie udział w wyjątkowym programie doświadczalnym dla najmłodszych z cyklu „Nauka do drzwi puka". Niedługo rozpoczniemy prace – mówiła dalej Amelia. – Zabierzcie ze sobą dobre humory. Do zobaczenia.

Chwyciliśmy bagaże i weszliśmy do chaty. Wlokłam się zmartwiona na samym końcu.

Aniela i Bianka od razu zajęły najlepsze miejsca w pokoju dziewczyn. Wybrały piętrowe łóżko, pod oknem.

– Najlepsza lokalizacja. To na wszelki wypadek, gdyby trzeba było wymknąć się w nocy – wyjaśniła Aniela.

No tak. W tej sytuacji wszystko wydawało mi się możliwe. Zebrałam dziewczyny na swoim łóżku i zaczęłam mówić przyciszonym głosem:

– Odprawa przed dochodzeniem. Domyślacie się, kim jest Amelia?

Bianka zrobiła wielkie oczy, a Aniela rzuciła tylko krótko: – Mów!

– Amelia to dziewczyna w żółtym płaszczu, którą widziałam z profesorem na lotnisku. Krawat też tam był – oświadczyłam, a dziewczyny ciasno pochyliły się nade mną. – Potem namierzyłyśmy ich na balecie – mówiłam dalej. – Flora i ja śledziłyśmy ich aż do loży. Podkradłyśmy się tam i usłyszałyśmy w s z y s t k o. Rozmawiali o wybuchu! Krawat powiedział, że wywiad nie śpi. To oni zabrali moją torebkę z króliczkiem! – zakończyłam dramatycznie.

– Z a b r a l i twoją torebkę?! – chórem wykrzyknęły Bianka i Aniela.

– To było tak: Flora i ja skradałyśmy się do loży. Krawat chciał zamknąć drzwi. Wtedy Flo sprytnie włożyła w szczelinę opakowanie od paluszków i dzięki temu słyszałyśmy każde słowo. Opowiadali potworne rzeczy! Ze strachu upuściłam torebkę, którą Krawat potem przejął.

– Mam nadzieję, że nie miałaś tam Tajnego Dziennika? – zapytała zatroskana Aniela.

Zawstydzona, spuściłam oczy i przyznałam się:

– Przepadł razem z torebką.

– W takim razie mają ślad – oświadczyła Aniela. – Musimy być ostrożne.

To prawda. Dziennik był podpisany. Wkleiłam też artykuł o profesorze Kaganku. Czyli kompletna klapa.

– A ja mam swój! – obwieściła Bianka i wygrzebała z walizki elegancki zeszyt w różowej oprawie.

Ukryła go jednak jeszcze szybciej, w naszym pokoju bowiem niespodziewanie pojawiła się pani i oznajmiła:

– Za dwie minuty rozpoczynają się doświadczenia z doktor Amelią i docentem Krawatem.

– To Amelia jest lekarzem? – zdziwiłam się.

– Emilio, doktor, docent i profesor to stopnie naukowe. Amelia jest doktorem fizyki. Lekarza też nazywamy doktorem, to doktor nauk medycznych – wyjaśniła pani.

„Banalne! – pomyślałam. – Ci dorośli. Skąd oni to wszystko wiedzą?"

– Dzieci, zbiórka przy stole pod gruszą! – zawołała pani, składając rękę w trąbkę.

Wybiegliśmy z chaty i za chwilę tłoczyliśmy się wszyscy pod gruszą. I dobrze, bo słońce przygrzewało mocno, a na niebie nie było ani jednej chmury. Stare drzewo rzucało przyjemny cień.

– Witajcie na spotkaniu z cyklu „Nauka do drzwi puka" – zaczęła Amelia.

– Ciekawe, po co puka – zażartował Alan i spojrzał porozumiewawczo na chłopaków.

Zarechotali.

– Przeprowadzimy trzy doświadczenia. Zanim jednak przystąpimy do działania, wybierzemy trzech asystentów – mówiła dalej Amelia, nie zwracając uwagi na chichoty. – Pierwszego już mamy. – Wskazała na Alana.

Chłopaki znowu się roześmiali. Tylko Alanowi nie było wesoło.

– Ale... – wykręcał się. – Kiedy ja nie chcę!

Pani przywołała chłopca i szepnęła mu coś do ucha. Posłusznie dołączył do Amelii, która powitała go lodowatym spojrzeniem.

– Potrzebuję jeszcze dwóch ochotników – powiedziała, rozglądając się wokół.

Natychmiast zgłosił się Michaś, ale potem już nie było chętnych.

Amelia wycelowała palec w moim kierunku.

– Ty. Jak masz na imię? – zapytała.

– Nazywam się Emilia – powiedziałam cicho. – Stanisława Emilia Gacek.

– Doskonale! – zawołała Amelia. – Do roboty.

Za chwilę Alan, Michaś i ja, okręceni w niebieskie długie fartuchy, stanęliśmy wraz z Amelią i docentem Krawatem po jednej stronie stołu. Po drugiej stronie znaleźli się wszyscy z zielonej zerówki. Pani też.

– Przedstawiam moich asystentów – oznajmiła Amelia. Potem sprytnie wymieszała płyny w probówkach, a Krawat z pomocą Alana przelał je do słoików.

Asystenci, czyli Alan, Michaś i ja, rozdali dzieciakom paczki modeliny, foliowe fartuchy i okulary. To nie były zwykłe okulary, lecz coś podobnego do gogli narciarskich.

– Teraz dobierzcie się w dwójki. Każda dwójka zbuduje wulkan. Ma być wielki i ma mieć porządny krater – zarządziła Amelia. – Asystenci proszeni są na naradę!

– Ciekawe po co? – mruknęłam.

Narada nie była długa. Amelia i Krawat pokazali nam dwa eksperymenty: pierwszy miał wykonać Alan, a drugi, z wulkanem, Michaś i ja.

Mega!

Kiedy każda para miała już gotowy wulkan, Michaś i ja wsypywaliśmy do niego sodę. Potem wszyscy dostali buteleczki z przejrzystym płynem.

– Odkręćcie je i powąchajcie – powiedziała Amelia.

– Fu! To ocet! Moja babcia myje tym lodówkę. – Bianka się skrzywiła.

– Okulary na nosy i wlewamy ocet do kraterów – zarządziła Amelia.

Chwilę później wszystkie wulkany wybuchły.

Mega!

– To była reakcja sody i kwasu octowego. W ten sposób powstał dwutlenek węgla. To dzięki niemu wulkany wybuchły – tłumaczył Michaś.

A my, ciągle w goglach, gapiliśmy się w przygasające już wulkany.

Potem Krawat poprosił wszystkich o podniesienie do góry słoików, które stały przed każdą parą. W słojach były płyny, ale tak wyraźnie oddzielone, że powstały z nich kolorowe warstwy. Nie zmieszały się!

– To jakieś sztuczki! – Tylko chłopaki z grupy Alana nie dowierzali.

– To nie są sztuczki, panowie. Nauka do drzwi puka! – odparł Krawat. – Alan wam wszystko wyjaśni.

– To prawda – przytaknął Alan. – Do słoików dodaliśmy miód, płyn do mycia naczyń, wodę i olej. Nie zmieszają się!

Gwałtownie potrząsnął słoikiem, a płyny zawirowały. Po chwili jednak wróciły na swoje miejsca.

– Oooo! – Wszystkim opadły szczęki ze zdziwienia.

– Substancje mają swoją gęstość. Olej jest najlżejszy i wypływa na powierzchnię. Woda jest cięższa, dlatego spływa niżej – wyjaśnił Krawat.

– Oliwa sprawiedliwa, zawsze na wierzch wypływa – pochwaliła się Bianka. – Babcia tak mówi.

– W pewnym sensie twoja babcia ma rację – skwitowała Amelia.

– Moja babcia z a w s z e ma rację – zaperzyła się Bianka. – Mój tata też.

– No tak – wymruczała Amelia i wzięła słoiczek. – Na pamiątkę otrzymacie słoiczki z tłustą zawartością. Są szczelnie zakręcone. Zabierzcie je do domu i wyjaśnijcie rodzicom, co to znaczy gęstość substancji.

– Nie pijemy ze słoików ani ich nie tłuczemy – ostrzegł Krawat.

Na koniec pani ogłosiła, że Amelia i docent Krawat poprowadzą zajęcia naukowe w naszej zerówce przez całe wakacje.

– Bomba – oświadczył Alan. – No nie, chłopaki?

A ja pomyślałam z ulgą: „Uff! Na dziś koniec tego eksperymentowania".

Już miałam obrócić się na pięcie i biec za dzieciakami, kiedy Amelia obwieściła:

– Asystenci, wy zostajecie. Trzeba wyczyścić probówki i przyrządy.

– Nuda… – Byłam naprawdę wściekła, bo inni mieli w tym czasie zajęcia z karate.

– Super! – szepnął mi do ucha Michaś.

– To nie jest sprawiedliwe! – wrzasnęłam.

– Ty! – Amelia znowu wycelowała we mnie palec. – Zakładaj rękawice. Sprzątamy stół i ławki.

Krawat dodał z uśmieszkiem:

– Asystenci zawsze są od brudnej roboty.

Wzruszyłam ramionami i zabrałam się za sprzątanie. Nie poszło tak łatwo. Amelia co chwilę wymyślała nam nowe zadania. Wreszcie, zmęczeni i zrezygnowani, powlekliśmy się do domu.

W Piernikowej Chacie panowała kompletna cisza. Nie było tam nikogo.

– Hej, lecimy na łąkę. Zawody jeszcze trwają – zaproponował Alan.

Kiedy dotarliśmy na miejsce, pan od karate właśnie wręczał medale.

– Jak to? – wkurzył się Alan. – Ja nic nie wygrałem?

Nikt się jednak nie przejął jego narzekaniem, bo na podium stanęła… Aniela.

– Niech żyje Tajny Klub Superdziewczyn – powiedziałam bezgłośnie i uniosłam do góry kciuk.

Wieczorem poszliśmy wszyscy na ognisko i pieczenie kiełbasek. Nasza pani i pan od karate grali na gitarach i śpiewali piosenki.

– Jak skauci! – ucieszył się Michaś, który cały czas siedział z członkiniami Tajnego Klubu.

A nad lasem płynęły słowa piosenki: *Płonie ognisko i szumią knieje...* Do domu wróciliśmy bardzo późno, kiedy nad Piernikową Chatą zawisł wielki księżyc. Cała ferajna, ziewając i przeciągając się, ułożyła się w łóżkach. Jednak my, dziewczyny z Klubu, czuwałyśmy – miałyśmy coś jeszcze do załatwienia!

Wkrótce potem tu i ówdzie rozległo się chrapanie, a nawet pogwizdywanie. Wtedy Aniela cichutko zahukała. Zupełnie jak sowa, którą słyszeliśmy dzisiaj w lesie.

– Śpią. I chrapią całkiem jak mój dziadziuś – stwierdziła Bianka, gdy zebrałyśmy się na dolnym piętrze łóżka. Każda z nas przypięła odznakę Klubu, po czym wyrecytowałyśmy chórem przyciszonymi głosami:

Karaluchy, szczypawki, pająki,
Padalce, jaszczurki i żmije.
Nie boimy się was, dziwolągi,
Nocne mary czy włóczykije.

Straszenie nie ujdzie wam płazem.
W Tajnym Klubie trzymamy się razem!

Nic u nas nie wskóra płaczka,
Chwalipięta, samolub, zakalec,

Tchórz, jędza i zarozumialec.
Tajny Klub to jest superpaczka!

– I mieczem go usieczem! – dodała Aniela, rozdając na prawo i lewo ciosy karate.

Chichocząc, klasnęłyśmy w ręce na znak, że skończyłyśmy recytować nasze klubowe zawołanie i zaczynamy obrady. Aniela zanurkowała w swojej walizie. Po chwili w zwycięskim geście pokazała nam wymięty kawałek gazety.

– To jest dowód – oświadczyła.

– Ale to jest całkiem wymiętolone! – stwierdziłam z oburzeniem.

– Ciesz się, że w ogóle coś mamy. Udało mi się wyrwać z pyska Śledzia w ostatniej chwili – rzekła, bardzo z siebie zadowolona.

– Śledzia? – zdziwiła się Bianka.

– To mój pies. Poczciwy Śledź. Tęskni teraz za mną… – powiedziała ze smutkiem Aniela.

– Ty czytaj. – Podsunęła mi skrawek pod nos i zaświeciła latarkę.

Nagle Bianka wyrwała mi gazetę i zaczęła czytać, a raczej dukać:

– Profesor Kaganek... światowej sławy... naukowiec dokonał wyjątkowego odkrycia w dziedzinie na-no-nauki... eee... Jego wkład w wiedzę o... tych... mo-le-ku-łach...

Zaraz jednak przerwała, bo usłyszałyśmy nad głowami głośne bzzz bzzz...

– Mówiłam, że trzeba było jechać do spa. Tata miał rację. Komary nas zjedzą! – zapiszczała, wymachując rękami.

– To nie komary. To ćmy lecą do światła – usłyszałyśmy nagle nad głowami.

To była pani! Stała w drzwiach i oświetlała nas wielką latarką.

– Co tu macie? – zainteresowała się.

– Nic, proszę pani. – Aniela niezgrabnie schowała za siebie wycinek z informacją o profesorze.

– Czytacie po nocy? – Pani zauważyła, co ukrywamy. – Niezwykłe! – Wzięła do ręki kawałek gazety. – Profesor Kaganek, światowej sławy naukowiec, dokonał wyjątkowego odkrycia w dziedzinie nanonauki. Jego wkład w wiedzę o nanoświecie jest nieoceniony. Obecnie zespół profesora Ferdynanda Kaganka przygotowuje się do doświadczenia, które potwierdzi, jaki jest wygląd molekuł... – Pani czytała powoli i co chwila podnosiła na nas wzrok, coraz bardziej zdziwiona.

Spojrzałyśmy zmieszane po sobie, a pani dotknęła odznaki na mojej piżamie.

– Ładna broszka… – Uśmiechnęła się.

– To nie jest broszka! – oburzyła się Aniela. – To odznaka Tajnego Klubu.

– Odznaka Klubu? – Pani uniosła brwi ze zdziwienia.

– Tak. Tajnego Klubu Superdziewczyn. – Aniela zabrnęła już tak daleko, że nie mogła uniknąć odpowiedzi.

– O! Klubu? Tajnego Klubu Superdziewczyn? – Pani była wyraźnie zaskoczona.

Wtedy Aniela opowiedziała o Tajnym Klubie, o tym, jak śledziłyśmy profesora Kaganka, jak spotkałam na lotnisku Amelię i docenta Krawata.

Pani uśmiechała się coraz bardziej.

– Chodźmy na korytarz. Zaraz wszystkich obudzimy – zaproponowała, a my posłusznie wyszłyśmy za nią. Zostawiła nas na moment same i kazała czekać. Usiadłyśmy w fotelach. W kominku nadal tlił się ogień. Wokół rozchodziło się przyjemne ciepło.

Po chwili wróciła, wręczyła mi paczuszkę… i oznajmiła:

– Doktor Amelia poprosiła mnie, abym przekazała ci zgubę. Sama nie mogła tego zrobić, bo spieszyła się na sympozjum naukowe.

Ostrożnie rozpakowałam zawiniątko. W środku była… torebka. Moja zagubiona torebka z króliczkiem!

I mój Tajny Dziennik. Nie mogłam ukryć zdziwienia. Miałam wrażenie, że pani dobrze zna Amelię.

– Chciałabym wstąpić do waszego Klubu – oświadczyła. – Czy macie już szefa?

Pomyślałam chwilę i odparowałam:

– Dorosły nie może być szefem Tajnego Klubu!

– Emi jest naszym szefem – wyjaśniła Aniela i stwierdziła: – Zastanowimy się, czy możemy panią przyjąć. Przygotujemy specjalny test i wtedy się przekonamy, czy umie pani dochować tajemnicy, czy nie boi się pani duchów, robali i takich tam.

Jak na komendę wszystkie się poderwałyśmy i wyrecytowałyśmy:

Karaluchy, szczypawki, pająki,
Padalce, jaszczurki i żmije.
Nie boimy się was, dziwolągi,
Nocne mary czy włóczykije.

Straszenie nie ujdzie wam płazem.
W Tajnym Klubie trzymamy się razem!

Pani roześmiała się i zapytała:

– Może więc zostanę członkiem honorowym? Waszym głównym doradcą? Ale teraz, Tajny Klubie Superdziewczyn, dobranoc! – Zagarnęła nas ramieniem i zaprowadziła do sypialni.

Długo jeszcze myślałam, patrząc w gwiazdy, które zaglądały przez okno, co było w teczce profesora, którą tak chronił na lotnisku. Jaką kryła tajemnicę? Co miała z tym wspólnego Amelia? I co dalej z Tajnym Klubem?

EMI I LUCEK,
CZYLI ROMEO I JULIA

To wydarzyło się w kilka tygodni po powrocie z Piernikowej Chaty. Tajny Klub Superdziewczyn rozważał podjęcie kolejnego śledztwa. Byłyśmy na tropie nowej niezwykłej tajemnicy!!! Ale o tym cicho sza!

Wiele się zmieniło po powrocie do szkoły (chociaż Flora cały czas przypominała, że wchodzimy bocznym wejściem, to jednak nasza zerówka była w szkole). Michaś trzymał się z Anielą. Na ich widok moja lampka już w ogóle nie reagowała. To była na pewno WM, czyli Wielka Miłość. Banalne! Alan na poważnie zainteresował się doświadczeniami i rzadziej dokuczał Michasiowi. A może bał się, że Aniela mu przyłoży? Co tydzień robiliśmy na zajęciach nowy szalony eksperyment i z niecierpliwością czekaliśmy na spotkania z doktor Amelią i docentem Krawatem.

Sprawa profesora wydawała się zamknięta. Nic nowego się nie wydarzyło. Torebka, którą Amelia zwróciła mi na zielonej zerówce, wróciła na swoje miejsce w szafie. Coś mi jednak mówiło, że temat teczki z trupią czaszką jeszcze powróci...

Było coraz cieplej! Po długiej i mroźnej zimie coraz więcej czasu spędzałam na placu zabaw domu przy ulicy Na Bateryjce. A konkretnie na grze w berka-cukierka.

Zasady gry w berka-cukierka nie są jasne. Trzeba uciekać. Pędzić przed siebie! Uciekający ma trudne zadanie: musi znaleźć i dotknąć przedmiotu w kolorze, który wybiera berek. Berek, rzecz jasna, miewa same dziwne pomysły – może na przykład zdecydować, że należy szukać przedmiotów w kolorze burgundowym albo karminowym, a takich nie znajdziesz absolutnie nigdzie. No chyba że twoja wyobraźnia będzie pracowała jak szalona. Bo niby co na podwórku może być burgundowe?

Jeśli jesteś sprytny i dotkniesz przedmiotu w wybranym przez berka kolorze, zanim on cię dopadnie, jesteś bezpieczny. Jeśli jednak berek będzie szybszy – ty zajmiesz jego miejsce. A jeżeli w ogóle nie znajdziesz odpowiedniej rzeczy, odpadasz z gry i gapisz się na innych, którzy świetnie się bawią. Za nic nie chciałam zostać berkiem. Ani odpaść.

Dzisiaj do gry przyłączył się nowy chłopiec – Lucek Czapla – który całkiem niedawno wprowadził się do naszego domu Na Bateryjce. Chodzi już do szkoły, do drugiej klasy. Polubiłam go od razu.

– Szary! – zarządził berek. – Szary jak gołąb albo jak kamień.

– Szary jak moja harfa. – Fau westchnęła i wszyscy rozbiegliśmy się w poszukiwaniu szarego.

Biegłam jak mogłam najszybciej. Nie chciałam, aby ten Lucek sobie pomyślał, że jestem jakąś fajtłapą. I wtedy – bęc, upadłam jak długa. Potknęłam się na kamieniach i strasznie się potłukłam. Najpierw okropnie się zdziwiłam. Przecież biegam tędy codziennie! Niemożliwe, żebym się przewróciła. Potem strasznie rozbolała mnie ręka. Właściwie to nie mogłam nią ruszyć. Z początku udawałam, że nic się nie stało. Ale nie wytrzymywałam już z bólu i wreszcie zaczęłam chlipać pod nosem. To Faustyna zobaczyła, że siedzę na ławce i beczę, więc zabrała mnie do domu.

Zastukałyśmy cicho do drzwi mieszkania pod numerem ósmym.

– Emi! Co się stało? – Mama była przerażona, kiedy zobaczyła mnie zapłakaną w objęciach Fau.

Nie mogłam wykrztusić z siebie słowa. Z oczu ciągle kapały mi łzy.

– Emi, proszę pani, upadła. Potłukła się. Mocno – oświadczyła Faustyna i spuściła oczy. Jakby to była jej wina. – A ja już muszę iść, bo rodzice wołali mnie na kolację – dodała. I poszła.

Trochę było mi przykro, bo musiałam sama tłumaczyć mamie, co to jest berek-cukierek. A ona zupełnie nie mogła tego zrozumieć. Potem zaczęła mnie uważnie oglądać, od stóp aż do głowy. Badała mnie i dotykała.

– Nic tu nie widzę – mówiła zdziwiona. – Co cię boli?

– Ręka – przyznałam, chowając obolałą lewą rękę za siebie.

Nagle mama objęła niespodziewanie mój nadgarstek. I to jak!

– Przestań! – wrzasnęłam. – To strasznie boli.

Bo bolało. Jakby ktoś włożył mi rękę do ognia. No dobrze, nigdy nie miałam ręki w ogniu. Jednak pewnie bolałoby podobnie.

– Zrobimy okład – powiedziała mama.

Wyjęła z lodówki małą torebeczkę wypełnioną niebieskim płynem.

– Mam tutaj coś na specjalne okazje. To jest bardzo zimne. Jak lody. – Mrugnęła do mnie.

– Przestań! Zamienisz mnie w kostkę lodu! – krzyknęłam, kiedy tylko położyła okład na nadgarstek, gdzie bolało najbardziej.

Potem mama przytuliła mnie mocno, najmocniej jak mogła. A niebieska mrożonka znowu wylądowała na mojej ręce, tym razem owinięta w ścierkę. Uff... Poczułam ulgę. Odpoczywałam. Mama w tym czasie wykonała mnóstwo telefonów do lekarzy, aby umówić mnie na badanie. Był wieczór i chyba nikomu już się nie chciało pracować, bo co chwila rzucała słuchawką.

– Brrr! – Wzdrygnęła się po kolejnej nieudanej próbie. – Co za świat!

Na koniec skonsultowała się z panem Krzysiem. To nasz lekarz rodzinny. Tata nie lubi pana Krzysia. Uważa, że mama nie powinna przesiadywać u niego w gabinecie, a najlepiej niech znajdzie sobie lekarza kobietę.

– Więc chcesz mi powiedzieć, Krzysiu, że to normalne, że przychodnia nie chce nas przyjąć z urazem? Bo nie byłyśmy umówione? – Mama się bardzo denerwowała. – A jak miałyśmy zaplanować ten wypadek? Ortopedom to się nie opłaca? Co za czasy?!

Zadzwoniła też do taty. Ale nie odbierał. Spróbowała drugi raz, a potem trzeci... Za piątym razem się udało. Tak bardzo chciałam z nim porozmawiać i opowiedzieć mu, co się wydarzyło.

– Jakubie, na wstępie oświadczam, że jestem bardzo zmartwiona i zdenerwowana – powiedziała mama do słuchawki. – Że co? Że masz ważne spotkanie? Aaa... bankiet? Ach, no to przepraszam. I zawiadamiam cię, że twoja córka ma złamaną rękę – oznajmiła bardzo głośno. – Tak. Twoja córka. Emilia!

Trochę się zdziwiłam, bo przecież nie byłyśmy jeszcze u lekarza i wcale nie było pewne, że ręka jest złamana.

Mama była bardzo zła. Rozłączyła się z tatą. Natychmiast.

– Wiesz, mamo – powiedziałam i przytuliłam się do niej. – Już mnie nie boli. Nie złość się więcej, proszę.

Ale ona była uparta i nie przestawała mnie badać. Dotknęła mojej ręki, a ja znowu podskoczyłam prawie do sufitu.

– Uuuu! – Ból był naprawdę nieznośny, więc okropnie się rozdarłam.

W końcu wylądowałyśmy w nowiutkim szpitalu, gdzie było bardzo cicho i bardzo biało. Siedziałam w bardzo wygodnym pomarańczowym fotelu i słuchałam muzyki.

– Bardzo tu ładnie – powiedziałam z zadowoleniem.

– Nie ma się z czego cieszyć. – Mama była przeciwnego zdania. – Bardzo ładnie i bardzo drogo!

Wreszcie zaproszono nas do gabinetu.

– Źle to widzę, pędraku. – Lekarz pogłaskał mnie po głowie i zabrał się za zakładanie gipsu.

– Więc nie da się tego uniknąć? – zapytała mama.

Lekarz bez słowa wskazał na prześwietlenie, na którym straszyły moje kości. Wyjął z szuflady stertę bandaży i założył mi opatrunek.

– Pęknięcie kości bez przemieszczenia – poinformował nas w końcu.

Tak więc ja Emi, miałam swój pierwszy w życiu gips. I od tego wszystko się zaczęło. Najpierw wysłałyśmy tacie przez telefon moje zdjęcie z gipsem. Potem telefon mamy rozdzwonił się jak oszalały, ale ona nie odbierała. Dziwne. Przecież sama narzekała, że tata nie dzwoni. Wreszcie wróciłyśmy do domu Na Bateryjce. I już w windzie wydarzyło się coś absolutnie mega! Spotkałyśmy Lucka Czaplę, tego nowego chłopca, który mieszka na pierwszym piętrze.

– Dzień dobry! – Lucek ukłonił się mamie.

Mama przyjrzała mu się uważnie. Lucek odgarnął z czoła zmierzwione czarne włosy (teraz bardzo wyraźnie zobaczyłam, jaki jest fajny!), poprawił granatową bluzę z kotwicą na piersi i uśmiechnął się.

– Miło mi cię poznać. – Mama też się uśmiechnęła. – Jesteś naszym nowym sąsiadem?

– Tak, proszę pani. Jestem Lucek Czapla z pierwszego piętra.

– Lucku, Emilia miała wypadek. – Mama wycelowała we mnie palcem.

Uśmiechnęłam się i pomachałam do niego moim pierwszym w życiu gipsem.

– Czy będziesz mógł potowarzyszyć Emi przez jakiś czas? – zapytała mama. – Powiedzmy, przez godzinę? Muszę zrobić zakupy, a za chwilę zamkną mi sklepy.

„Co ona robi? – pomyślałam w panice. – Przecież Lucek nie zgodzi się zostać z dziewczyną. Będę musiała się wstydzić. Ja, szefowa Tajnego Klubu Superdziewczyn!"

– Oczywiście – odpowiedział bez wahania.

Ścisnęłam mamę mocno za rękę. Znała się na chłopakach! Chyba była dobrą kandydatką do Tajnego Klubu!!! Mega!

Lucek przyszedł do nas po paru minutach. Musiał wpaść na chwilę do domu i pogadać z rodzicami.

– Moja mama przesyła ciasteczka. To dla ciebie, Emi. – Wręczył mi paczuszkę przewiązaną czerwoną wstążką.

– Bawcie się dobrze, dzieciaki! – Mama uścisnęła Lucka i wybiegła z mieszkania.

Zostaliśmy s a m i. Lucek i ja.

– Oprowadzę cię – zaproponowałam. – Zobaczysz nasze Gackowo.

– Chętnie – zgodził się.

– Tutaj jest jaskinia taty – powiedziałam, kiedy znaleźliśmy się w pracowni.

Lucek bardzo uważnie oglądał stół kreślarski. Potem dotknął kolejno każdej lampy i przejrzał zbiór ołówków. Przy grubaśnych albumach ze zdjęciami starych budynków zatrzymał się na dłużej.

Wreszcie wypalił:

– Super!

– To tylko stare domy – prychnęłam.

– Ja też chcę zostać inżynierem – odpowiedział Lucek.

– Myślałam, że chcesz zostać strażakiem albo policjantem. Albo gwiazdą piosenki. Jak inne chłopaki.

Wzruszył ramionami.

– Poza tym, wiesz – kontynuowałam – architekt to taki zawód, że ciągle nie ma cię w domu. Jak chcesz, to zapytaj moją mamę. Zresztą nieważne. Zagrajmy w coś – zaproponowałam i zaciągnęłam Lucka do mojego pokoju.

Wspólnymi siłami wyciągnęliśmy z szafy rummikuba*. Wylosowaliśmy po trzynaście kostek z cyframi i ustawiliśmy je na naszych tabliczkach.

„Nie wie o tym, z kim zadziera. Jestem mistrzynią rummikuba" – pomyślałam, patrząc na Lucka, który wpatrywał się bez słowa w swoją tabliczkę.

Po chwili jednak się okazało, że ma trzydzieści punktów na wyjście i zaczął grę jako pierwszy. A mnie udało się wejść do gry dopiero w trzeciej kolejce.

---

* Popularna gra strategiczna dla kilku osób. Gracze używają 104 kostek z liczbami od 1 do 13 oraz dwóch z symbolami jokerów. Aby pozostali nie mogli ich zobaczyć, wylosowane kostki ustawia się na niewielkich stojakach. Celem gry jest pozbycie się wszystkich kamieni ze swojej tabliczki przez wykładanie sekwencji lub ciągów minimum 3-liczbowych. Gra rekomendowana jest dla starszych dzieci (wersje junior od lat 7).

A niech to! Musiałam go gonić. To chyba nie był mój najlepszy dzień…

– Wygrałeś – syknęłam, kiedy Lucek położył ostatnią kostkę i pokazał mi pustą tabliczkę. – Ale tylko dlatego, że mam złamaną rękę. To ja jestem mistrzynią rummikuba!

– Oczywiście – przyznał.

Jakoś się udobruchałam i poszliśmy buszować w szafce ze słodyczami. Fajnie jest z tym Luckiem. Nawet się nie kłóci. To prawdziwy dżentelmen. Wybierał dla mnie najlepsze czekoladki i oddał mi galaretkę z polewą!

– Muszę ci coś powiedzieć. Nie mogę jeść tyle słodyczy – wyznałam na koniec. – I niech to będzie nasza tajemnica.

Lucek wzruszył ramionami, ale na jego czole pojawiła się bruzda. Zupełnie jak u taty, kiedy się na mnie złości.

Nagle za oknem zrobiło się już prawie całkiem ciemno. Usłyszeliśmy szczęk klucza w zamku. Podbiegliśmy z Luckiem do drzwi w korytarzu. W drzwiach stanął… tata.

– Tata…? – rzuciłam z niedowierzaniem. – Przecież byłeś na bankiecie.

Tata westchnął.

– Tak, Emi. Jeszcze dwie godziny temu byłem na służbowym bankiecie prawie dwieście kilometrów stąd. – I mocno mnie uścisnął.

Pochwaliłam mu się:

– Mam pierwszy w życiu gips.

Tata pokiwał głową ze zrozumieniem i poszedł rozpakować walizkę. Po chwili znowu usłyszeliśmy chrzęst klucza w zamku. Drzwi się uchyliły. Najpierw zobaczyliśmy wielki karton ze znakiem zdrowej żywności, a potem mamę.

– Fu! – poskarżyłam się Luckowi. – Znowu przez cały tydzień będzie kalafior z brokułami i brokuły z kalafiorem.

Mama zawołała wesoło:

– Mam dla was niespodziankę!

Zza jej pleców wyłoniły się pani Laura i Flora. Też mi niespodzianka. Ostatnio przecież bywały u nas kilka razy w tygodniu.

– Prawdziwą niespodziankę mam ja! – Zamrugałam tajemniczo i pobiegłam do pracowni po tatę.

Ledwo go stamtąd wyciągnęłam. Kiedy już się przywlókł, mama zmrużyła oczy, spojrzała na niego krzywo i za chwilę oboje zniknęli w gabinecie.

– Emisiu! Cóż to za okropny wypadek! – Pani Laura oglądała gips ze wszystkich stron. Robiła przy tym tyle hałasu jak cała szajka Alana z naszej zerówki.

A tak byłam dumna z mojego pierwszego w życiu gipsu.

– Mam niespodziankę na otarcie łez – powiedziała pani Zwiędły tajemniczo i wyciągnęła z torby paczuszkę z napisem „Hokus-pokus".

– Mega! – ucieszyłam się i pospiesznie odpakowałam zawiniątko.

Może to był proszek do zaklęć? Albo galaretki w czekoladzie? Jednak to, co zobaczyłam, przeszło moje oczekiwania. Pani Laura przyniosła mi w prezencie zwykłą czerwoną bluzkę. Na dodatek z guzikami.

– Guziki?! Nie cierpię guzików. – Wzruszyłam ramionami i odłożyłam prezent na bok.

Flora puściła do mnie porozumiewawczo oko.

– Emi, to ulubiona dziecięca marka całego Mediolanu! – zawołała pani Laura. – Zwiędły zapłacił za nią krocie.

– Aha. Ale guziki? – odparowałam i pomyślałam: „Dorośli nie wiedzą, co jest fajne".

– Emi nie cierpi guzików – wyjaśniła Flo swojej mamie.

A wtedy pani Laura zrobiła coś, czego nie spodziewałabym się nigdy.

– Emilio, nożyczki! – zażądała i wprawnym ruchem obcięła dwa gigantyczne guziki, a potem tak samo potraktowała lśniący guzik przy swojej bluzce.

Bardziej łaskawym okiem spojrzałam na czerwone cudo z Mediolanu i pognałyśmy z Florą do mojego pokoju.

– Fajnie masz. – Flora czule pogłaskała mój gips. A potem namalowała trupią czaszkę i podpisała: „Tu była FLO".

– Pewnie zostaniesz przez tydzień w domu – powiedziała z zazdrością w głosie.

– Coś ty! Takie hece to nie z moją mamą. – Westchnęłam cicho.

Potem zdałam jej relację z przebiegu dnia:

– Byłam w szpitalu. Takim eleganckim. I tam mi założyli gips. I był u mnie L u c e k.

Nagle usłyszałyśmy chrząkanie. Raz, a potem jeszcze raz. Odwróciłam się i ze zdziwieniem zobaczyłam… Lucka! Siedział w kącie pokoju i składał jakiś dziwny model z klocków Lego. No tak, ale ze mnie fajtłapa! Zapomniałam o nim. – Lucek tu jest – powiedziałam na głos.

– Lucek? – zdziwiła się Flo. – Jaki Lucek?

– Banalne. Sąsiad Lucek. Lucek z dołu – doprecyzowałam. Czułam, że robię się cała czerwona, a lampka w mojej głowie dosłownie szaleje.

– L U C E K – przeliterowała Flora ze zmrużonymi oczami. – Lucek, a co ty tu właściwie robisz? – rzuciła w kierunku sterty klocków i zamyślonego Lucka.

– Pilnuję Emi – odpowiedział, nie zastanawiając się długo.

Flora wybuchnęła śmiechem.

– Pracujesz jako opiekunka Emi. Fiu, fiu!

Lucek udał, że nie słyszy, i dalej spokojnie układał zestaw Lego.

„Twardziel” – pomyślałam.

Rozległo się pukanie do drzwi. Okazało się, że to tata przyszedł po Lucka. Nie byliśmy zadowoleni. Ani ja, ani on. Flora nie dawała tego po sobie poznać, ale sądzę, że i ona by chciała, aby został dłużej.

– Możecie jeszcze pogawędzić przez balkon – zaproponował tata Lucka. – Jak Romeo i Julia.

– Jak kto? – zdziwiliśmy się.

Flora dosłownie zabeczała ze śmiechu. Zupełnie tak jak koza naszego pana ekologa.

– Romeo i Julia. Romantyczni kochankowie – wyjaśniła mama, która przywędrowała do nas z tatą. – Romeo stał pod balkonem Julii i śpiewał jej serenady, a przecież balkon państwa Czaplów znajduje się tuż pod naszym.

– Jutro zrobię wam prawdziwą balkonową pocztę – dodał tata Lucka. – Będziecie mogli wysyłać sobie listy po sznurku.

– Konstrukcyjnie da się to zrobić – zapewnił mnie tata i umówił się z panem Czaplą, że od rana wezmą się do pracy.

– Jakie to słodkie. Rysio jest taki zaradny – zauważyła pani Laura.

– Lauro! Przecież tu nie ma żadnego Rysia – oburzył się tata, który miał przecież na imię Kuba.

Nikt się tym nie przejął, wszyscy dyskutowali tylko o Romeo i Julii. Lucek był zachwycony. Ja mniej, bo Flora nie przestawała beczeć (ze śmiechu). Potem

Lucek i jego tata pożegnali się i wyszli. Uszczypnęłam ją w nos. Niech ma za swoje!

Kiedy zrobiło się już naprawdę sennie, pani Laura powiedziała tajemniczo do mamy:

– Mam ciekawe wiadomości. Chodzi o profesora. – Ściszyła głos. Nadstawiłam uszu. Wyłowiłam prawie wszystko: – Więc wyobraź sobie, Justysiu, że pro...sor Kaganek wyjeżdża za granicę. Otrzymał posadę w Ameryce! Będzie wykładał na uniwersytecie w Bostonie. Och, jakie to cudowne miejsce. Wyobraź sobie, Justysiu. Wielki wspaniały świat! Profesorowie. Inteligencja. Nie to co tutaj na naszej intelektualnej prowincji.

– Ciii! – uciszyła panią Laurę mama, spoglądając nerwowo w moim kierunku. – Ale co będzie z Frankiem?

– Och, nie wiem. Może ojciec zabierze go ze sobą? To przecież obiecująca młoda głowa. Ale czy wiesz, z czym profesor musi się zmierzyć? O mały włos, a wykradziono by mu materiały z tajnych badań, które prowadził przez ostatnie pięć lat. Z tej... nanonauki.

– Chodzi o materiały z teczki z trupią czaszką?! – wrzasnęłam. Flora z wrażenia podskoczyła do góry, ale zaraz potem spojrzała na mnie z uznaniem.

Mama za to posłała mi karcące spojrzenie.

– Nic nie wiem o czaszkach, Emisiu. – Pani Laura westchnęła. – Wracając do profesora: podobno śledzono go od miesięcy. Szpiedzy czaili się na pokładzie samolotu. Wtargnęli nawet do loży w teatrze, gdy spotkaliśmy się na premierze *Kopciuszka*. Tak wygląda życie na widelcu, Justysiu – dodała zatroskana.

Spojrzałyśmy z Florą na siebie porozumiewawczo. Odkąd dołączyła do Klubu, można było z nią pogadać prawie o wszystkim. I przestała się pastwić nad zabawkami! Nie wspomina też o Chudym. Ale, ale... w naszym dochodzeniu wszystko zaczynało się układać. Teczka profesora oznaczona trupią czaszką zawierała cenne materiały. Już od czasu incydentu na lotnisku pan Kaganek nie czuł się bezpiecznie. Był śledzony przez prawdziwą szajkę. Cieszyłam się – Tajny Klub Superdziewczyn był naprawdę na tropie!

– A ty, kochanie, co o tym myślisz? – zwróciła się mama do taty, który też przysłuchiwał się tej historii.

– Kto ich tam wie, tych naukowców. – Tata wzruszył ramionami. Po czym spojrzał na zegarek i oświadczył: – Za to wiem, że jest bardzo późno i małe dziewczynki powinny już spać.

– Rozumiem, Rysiu. – Pani Laura się uśmiechnęła. – Chcesz się nas pozbyć.

– Jaki Rysiu? Nie nazywam się Rysio... – protestował tata nieśmiało.

Wieczorem, kiedy zasypiałam, a mama trzymała mnie mocno za jedyną zdrową rękę, powiedziałam:

– Fajny dzień miałam, mamo. Taki... romantyczny.

– Jak Julia. – Mama ziewnęła i natychmiast zasnęła.

A przecież to ja byłam zmęczona i po wypadku. Tacy już są dorośli. Nigdy nie wiadomo, co im wpadnie do głowy. Banalne… Ziewnęłam. Mnie też zachciało się spać. Jutro zaczynamy nowe dochodzenie w Tajnym Klubie. Mega!

Z TAJNEGO DZIENNIKA EMI

Nasze pierwsze dochodzenie już zamknięte. Muszę przyznać, że źle zrozumiałyśmy profesora i jego zespół. Nie mieli zamiaru wywoływać wybuchów wulkanów. To były przygotowania do eksperymentów „Nauka do drzwi puka" na naszej zielonej zerówce. Ale aż tak bardzo się nie pomyliłyśmy. Wyniki badań profesora nad nanocząsteczkami chcieli wykraść prawdziwi przestępcy! Prawdopodobnie wykorzystaliby je do celów, które mogły zagrażać naszej planecie. Profesor zaalarmowany naszym śledztwem (okazało się, że doskonale wiedział, że razem z Florą śledziłyśmy go w teatrze) podjął kroki, aby udaremnić plany szajki.

Nawet dostałyśmy od niego list gratulacyjny. Z podziękowaniami. Z Bostonu!

JAK ZAŁOŻYĆ TAJNY KLUB.
PORADNIK

1. Jeśli macie już swój niepowtarzalny pomysł na Klub, to super. Jeśli nie – nic straconego. Skorzystajcie z naszych porad.

2. Wymyślcie dla waszego Klubu cel – może to być Klub Czytelników, Klub Budowniczych Zamków z Piasku albo Klub Fanów Filmów. Możecie założyć Klub Pomocników i pomagać w opiece nad maluszkami na waszym osiedlu. Tajemniczo brzmi Klub Przyjaciół Czarownic. Pamiętajcie: nie ma złych pomysłów!

3. Teraz wymyślcie nazwę. Może być bardzo poważna albo zabawna. Co myślicie o Klubie Szalonych Biedronek?

4. Przygotujcie zasady, którymi będziecie się kierować w waszym Klubie. Wystarczy kilka ważnych ustaleń. Jeśli uda się wam przestrzegać tych zasad, pozostaniecie pogodni i zgodni. Przykładowe za-

sady to: pomagamy sobie wzajemnie, a decyzje podejmujemy demokratycznie.

5. Ustalcie, kogo chcecie zaprosić do Klubu. Zaproponujcie udział w Klubie tym osobom, z którymi będziecie fajnie się bawić.

6. Przygotujcie zaproszenia, rozdajcie je osobom, z którymi chcecie stworzyć Klub. Jeśli wszyscy odpowiedzą na wasze zaproszenia, Klub będzie miał swoich członków.

7. Na przyjęcie nowych członków Klubu możecie przygotować krótki test lub krzyżówkę. Oni sprawdzą swoje siły, a wy się przekonacie, czy naprawdę są zaangażowani.

8. Opracujcie wspólnie odznakę Klubu. Co dwie lub więcej głów, to nie jedna.

9. Zróbcie pierwsze, tajne spotkanie Klubu i omówcie pierwsze ważne tematy. Wybierzcie szefa Klubu.

10. Hurra! Tajny Klub może już działać!

O AUTORKACH

Agnieszka Mielech

Autorka tekstu i pomysłu serii o Emi. Wychowała się na magicznym i zielonym Podlasiu, gdzie jej pasja pisania zaowocowała publikacjami w magazynach, które przed laty były oknem na świat dla ówczesnych nastolatków. Profesjonalnie i z pasją zajmuje się filmem z nurtu komercyjnego. Nadal ma duszę dziecka – uwielbia miejsca stworzone specjalnie dla dzieci, jak Disneyland, do którego nieraz jeszcze powróci. Mama Basi, która narysowała portret głównej bohaterki serii – Emi.

Magdalena Babińska

Autorka ilustracji do serii o Emi. Żona, matka, ilustratorka. Mama Matyldy, która stanowi dla niej niekończące się źródło inspiracji. Ilustruje publikacje dla najmłodszych, takie jak np. książeczki *Zgaduj z CzuCzu* (też jest jego mamą, bo powstał spod jej ołówka). Jest współtwórczynią dzienniczków firmy Brioko, które pomagają młodym mamom zorganizować opiekę nad maluchami. Ilustruje podręczniki do szkół. Rysuje przygody swojej córki na rodzinnym blogu: www.masebi.blogspot.com.

Jej prace można znaleźć tu: www.dedodesign.pl.

Jak Emi i jej koledzy radzą sobie w szkole?
Czy długa przerwa jest na pewno najfajniejsza?
Co dalej z przyjaźnią Emi i Lucka?
Kim jest tajemnicza Gloria Carlos Flamenco?
Czy Tajny Klub wpadł na trop nowej zagadki?

Przeczytasz o tym w drugiej części
przygód Emi
i Tajnego Klubu Superdziewczyn:

SPIS TREŚCI

Tekst i ilustracje © Agnieszka Mielech
Edycja © Grupa Wydawnicza Foksal, 2013

Projekt okładki, stron tytułowych oraz ilustracje: Magdalena Babińska
Redaktor inicjujący: Marta Lenartowicz
Redaktor prowadzący: Joanna Liszewska
Redakcja: Julia Celer
Korekta: Anna Włodarkiewicz
Skład: www.pagegraph.pl

Grupa Wydawnicza Foksal sp. z o.o.
ul. Foksal 17, 00-372 Warszawa
tel. 22 826 08 82, faks 22 380 18 01
e-mail: biuro@gwfoksal.pl
www.wilga.com.pl, www.gwfoksal.pl

ISBN: 978-83-7881-999-8

Druk i oprawa: LEGA, Opole
Książkę wydrukowana na papierze Ecco Book Cream 80 g/m², vol. 2.0
dostarczonym przez Antalis Poland Sp. z o.o.